Workbook

Francisca González Flores
University of California, Berkeley

Introducción a la la lingüística española

Second Edition

Milton M. Azevedo
University of California, Berkeley

PEARSON
Prentice
Hall

Upper Saddle River, New Jersey 07458

Copyright ® 2005 by Pearson Education, Inc.
Upper Saddle River, New Jersey 07458
All Rights Reserved
Printed in the United States of America

10 9 8 7 6 5 4 3

ISBN: 0-13-110962-6

Table of Contents

Prefacio

El presente *Workbook* es un cuaderno de ejercicios destinado a proporcionar un repaso práctico para secciones específicas del texto básico, *Introducción a la lingüística española, 2a edición,* a fin de complementar tanto las *Actividades* repartidas a lo largo de los capítulos, como las *Prácticas* ubicadas al final de cada uno de ellos.

Cada capítulo de *Introducción a la lingüística española* contiene referencias a ejercicios específicos del *Workbook*. Aquellos ejercicios que no se mencionan en el texto base permitirán, además, profundizar en el estudio de algunos temas fundamentales mediante el trabajo individual. Por lo tanto, el *Workbook* es un complemento didáctico sumamente flexible, ya que se puede usar tanto en el aula como fuera de ésta. La decisión de publicar por separado las respuestas a los ejercicios se debe a la circunstancia que no todos los profesores utilizan un cuaderno de ejercicios como éste de la misma manera. A algunos - particularmente a los que tienen clases pequeñas- les gusta corregir personalmente el material circunstancia de que para poder controlar el progreso de sus alumnos. Otros, sobre todo los que tienen clases numerosas, prefieren destinar el cuaderno a la práctica individualizada. En este último caso, la clave de respuestas, publicada bajo el título *Introducción a la lingüística española - Answer Key to the Workbook,* le permitirá a cada estudiante trabajar por su cuenta, realizando los ejercicios y verificando sus respuestas a medida que avance en la lectura del libro de texto.

En general, los ejercicios están pensados con una doble finalidad: por un lado, la de permitir que se profundice, mediante la práctica, en los conceptos presentados en el curso, y, por el otro, la de verificar el aprendizaje mediante secciones como *¿Verdadero o falso?* y *Prueba de autoevaluación,* que aparecen en todos los capítulos y cuyas respuestas se podrán encontrar al final del volumen.

F. G. F.

M. M. A.

Capítulo 1:
La lengua española en el mundo

1.1. El español en el mundo

Identifique en el mapa que aparece a continuación la localización de los países de lengua oficial española: Argentina, Bolivia, Chile, Colombia, Costa Rica, Cuba, Ecuador, El Salvador, España, Guatemala, Guinea Ecuatorial, Honduras, México, Nicaragua, Panamá, Paraguay, Perú, Puerto Rico, República Dominicana, Uruguay, Venezuela.

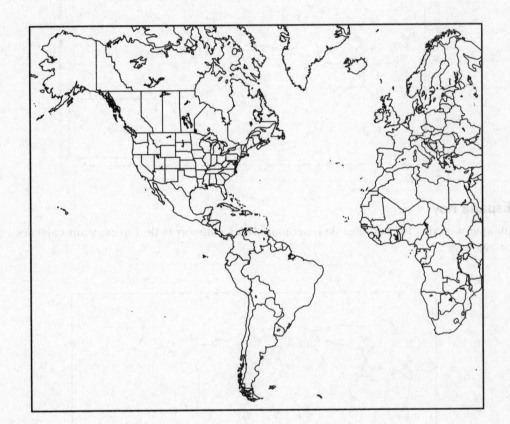

1.2. Ciudades emblemáticas de la Península Ibérica

Señale en el mapa de España que aparece a continuación las ciudades y pueblos siguientes: Burgos, Málaga, Cádiz, Almería, Ampurias, Cartagena, Murcia, Mahón, Tarragona, Mérida, Córdoba, Barcelona, Astorga, Zaragoza, Lugo y León.

1.3. España hoy

Identifique y escriba los nombres de las comunidades autónomas de España y sus capitales en el mapa siguiente.

1.4. El español en el Caribe

Localice Belice, Trinidad y Tobago, Aruba, Curazao y Bonaire en el mapa del Caribe que aparece a continuación.

1.5. Periodos históricos y pueblos

Adscriba cada uno de los pueblos que aparecen a continuación al periodo histórico en que habitaron la Península Ibérica.

EJEMPLO: (b) Periodo imperial: romanos

Pueblos:

Godos, iberos, árabes, celtas, tartesios, ostrogodos, fenicios, romanos, suevos, vascos, vándalos, griegos, visigodos, bereberes, cartaginenses, alanos.

Periodos históricos:

(a) Periodo prerromano (hasta el siglo III a.C.)

_____

_____

(b) Periodo imperial (desde el siglo III a.C. hasta la caída del Imperio Romano en el s. V)

_____

_____

(c) Periodo de dominación germana (siglos V-VIII)

_____

_____

(d) Periodo de presencia musulmana (siglos VIII-XV)

_____

_____

1.6. La historia del español en fechas

Adscriba los siguientes personajes, términos, obras e instituciones (fundamentales en el desarrollo del español) al periodo histórico que le corresponda.

EJEMPLO: (c) Renacimiento (siglos XV y XVI): Reyes Isabel y Fernando
Personajes y términos para ordenar:
Fernando de Rojas, Alfonso X, el Sabio, Miguel de Cervantes, Al-Andalus, Reyes Isabel y Fernando, Elio Antonio de Nebrija, Napoleón, Real Academia de la Lengua Española, Fin de la Reconquista, Guerra de Independencia, Siglo de Oro, "Glosas Emilianenses", Sebastián de Covarrubias, Siglo de las Luces, Andrés Bello.

(a) Edad media (siglos V-XIV)

_____

_____

(b) Renacimiento (siglos XV-XVI)

_____

_____

(c) Barroco (siglo XVII)

_____

_____

(d) Neoclasicismo (siglo XVIII)

_____

_____

(e) Romanticismo (siglo XIX)

_____

_____

1.7. El desarrollo del español: ciudades clave en la Edad Media peninsular

Usando los recursos de Internet y el mapa de España del ejercicio 1.3, localice los lugares que aparecen a continuación y conteste brevemente a las preguntas que plantean sobre los mismos.

(a) Localice los monasterios de San Millán de la Cogolla y Santo Domingo de Silos.

(b) ¿Por qué son importantes estos monasterios?

_____

_____

(c) Localice las ciudades principales del Camino de Santiago:

Roncesvalles, Pamplona, Estella, Nájera, Burgos, Frómista, Sahagún, León, Rabanal del Camino, Villafranca, Triacastela, Palas del Rey, Santiago de Compostela.

(d) ¿Qué es el Camino de Santiago?

_____

_____

1.8. Fechas y obras fundamentales

Enlace cada una de las fechas de la columna de la izquierda (con números) con la publicación de la obra que le corresponda de la columna de la derecha (con letras).

_____ 1. 1499   a. Diccionario de Autoridades

_____ 2. 1605–1615   b. Primeras "Reglas de ortografía en la lengua castellana"

_____ 3. 1847   c. Tesoro de la lengua castellana o española

_____ 4. 1490   d. Primera "Gramática de la lengua castellana"

_____ 5. 1535   e. Gramática de la lengua castellana según ahora se habla

_____ 6. 1517   f. Gramática del castellano destinada al uso de americanos

_____ 7. 1830   g. Universal vocabulario en latín y romance

_____ 8. 1492   h. La Celestina

_____ 9. 1611   i. Diálogo de la lengua

_____10. 1726–1739   j. El ingenioso hidalgo don Quijote de la Mancha

1.9. ¿Verdadero o falso?

Señale con un círculo la respuesta correcta (verdadero: V - falso: F).

EJEMPLO: Buenos Aires es la capital de Brasil.   V   (F)

1. Los términos "castellano" y "español" son sinónimos cuando se refieren a la lengua española en su conjunto   V   F

2. El rey Alfonso X tuvo un papel fundamental en el desarrollo de la prosa en castellano   V   F

3. El español es la única lengua romance en España   V   F

4. Nebrija escribió la primera gramática del español   V   F

5. Los Reyes Católicos terminaron la Reconquista en 1492   V   F

6. Todas las lenguas habladas en la Península Ibérica antes de la llegada de los romanos fueron sustituidas por el latín   V   F

7. Los primeros testimonios escritos del castellano son de fines del siglo XI o principios del XII   V   F

8. La palabra "Hispania" significa "tierra de conejos"   V   F

9. El español nació del latín literario y culto   V   F

10. Brasil también es un país latino   V   F

11. Los árabes llegaron a la Península Ibérica en el siglo VIII   V   F

12. El romance peninsular se empezó a escribir inmediatamente después de que empezara a hablarse   V   F

13. La mayoría de los hispanohablantes en Estados Unidos provienen de Puerto Rico   V   F

14. El Instituto Cervantes es un organismo encargado de estudiar las obras del gran escritor Miguel de Cervantes   V   F

15. El español ocupa el tercer lugar entre los idiomas con más hablantes   V   F

16. El español es el idioma oficial en dos ciudades del Norte de África   V   F

17. Los Siglos de Oro de las letras españolas son los siglos XV y XVI   V   F

18. El mozárabe era la lengua romance hablada en territorio árabe   V   F

19. El país con el mayor número de hispanohablantes es México   V   F

20. El catalán sólo es lengua cooficial en Cataluña   V   F

21. Los pueblos germanos llegaron en el siglo V a la Península Ibérica	V	F
22. Las Islas Filipinas fueron una colonia española hasta fines del siglo XIX	V	F
23. Al-Andalus es el nombre de los territorios árabes en la Península Ibérica	V	F
24. El euskera es una lengua prerromana	V	F
25. La Real Academia Española se encarga de fijar la lengua	V	F

1.10. Prueba de autoevaluación

Para realizar esta actividad de revisión y autoevaluación de forma adecuada:

- no debe utilizar ningún tipo de material (apuntes, libro, etc.).
- no puede emplear más de quince minutos en la realización de los ejercicios.
- debe seguir la escala de notas indicada a continuación.

<u>Escala de notas:</u>

(A) 50–45 puntos   (B) 44–40 puntos   (C) 39–35 puntos   (D) 34–30 puntos   (F) 29–0 puntos

1. ¿En cuántos países es el español la lengua oficial? (5 puntos)

2. ¿Cuántas comunidades autónomas conforman España? (5 puntos)

3. ¿Cuál es el nombre de la ciudad en la que nació el español? ¿En qué comunidad autónoma se encuentra hoy dicha ciudad? (10 puntos)

4. ¿Cuántas personas hablan actualmente español en todo el mundo? (5 puntos)

5. ¿En qué tres continentes hay países cuya lengua oficial es el español? (5 puntos)

6. ¿Qué significa el adjetivo "romance"? (10 puntos)

7. ¿Cuál es el nombre de los documentos más antiguos con palabras en castellano? (10 puntos)

Capítulo 2
Lenguaje, lengua y lingüística

2.1. Elementos de la comunicación y funciones del lenguaje

2.1.a. A continuación aparece un esquema sobre los elementos que conforman el proceso comunicativo. Adjudíquele a cada elemento su definición.

EJEMPLO: Elemento: Mensaje
           Definición: Señal que se comunica

Elementos:	**Definiciones:**
_C_ 1. Referente C	a. Receptor de la información
_E_ 2. Hablante e	b. Medio a través del cual se realiza la comunicación
_A_ 3. Oyente A	c. Realidad sobre la que se facilita una información
_B_ 4. Canal B	d. Idioma
_D_ 5. Código D	e. Transmisor de la información

2.1.b. Ahora, una cada función con su definición.

EJEMPLO: Función: poética
           Definición: Énfasis en la belleza del lenguaje

Funciones:	**Definiciones:**
_E_ 1. Función informativa E	a. Establecimiento de relaciones entre los hablantes
_D_ 2. Función expresiva D	b. Cambio de conducta del oyente
_B_ 3. Función directiva B	c. Creación de una nueva realidad
_A_ 4. Función fática A	d. Manifestación de sentimiento
_C_ 5. Función factitiva C	e. Datos sobre una realidad concreta

2.1.c. Por último, enlace cada elemento de la comunicación con la función del lenguaje a la que aquél se refiere.

EJEMPLO: Elemento: Mensaje
           Función: poética

Elementos:	**Funciones**
_____ 1. Referente	a. Función informativa
_B_ 2. Hablante	b. Función expresiva
_A_ 3. Oyente	c. Función directiva
_____ 4. Canal	d. Función fática
_____ 5. Código	e. Función factitiva

2.2. Funciones del lenguaje

Asocie cada una de las oraciones con la función que le corresponda.

EJEMPLO: Oración: Me encanta tu anillo, es precioso.
Función: expresiva

Funciones:	*Oraciones:*
B/H __ 1. Función informativa	a. ¡Feliz cumpleaños!
I __ 2. Función expresiva	b. Un dialecto es una variante de un idioma
E/G __ 3. Función directiva	c. Hola, buenas tardes
C/F __ 4. Función fática	d. Lo condeno a tres años de cárcel
D/J __ 5. Función factitiva	e. Por favor, ayúdame a llevar estos libros a la biblioteca
	f. ¿Cómo te va?
	g. ¡Haz las tareas!
	h. La lingüística estudia objetivamente el lenguaje
	i. ¡Idiota!
	j. Los declaro marido y mujer

2.3. Publicidad y lingüística

Elija un anuncio publicitario de un periódico o revista y diga qué funciones del lenguaje puede encontrar en el mismo, justificando su respuesta, como en el anuncio imaginario del ejemplo.

EJEMPLO: Anuncio: "Compre Blanquete y obtenga una sonrisa de película en sólo seis semanas ¡Es el mejor! A la venta en droguerías y farmacias"

Función directiva: Imperativos ("compre", "obtenga")
Función expresiva: Juicio de valor del hablante ("es el mejor")
Función informativa: Lugar de venta ("droguerías y farmacias")

Anuncio:

"Tu media naranja"

¿Te sientes solo, abandonado, aislado? ¿Estás harto de que todos tus amigos te concierten citas a ciegas? ¿Estás cansado de no estar casado? ¡Llama a tu media naranja ya! ¡No pierdas más tiempo! Nuestros colaboradores te ayudarán a encontrar a tu pareja ideal: ¡es tan fácil!
Cinco años de experiencia y cientos de matrimonios felices nos avalan.
Visítanos en la red: nuestra página es www.1/2naranja.esp; o llámanos al 1-000-666-666. Estamos a tu disposición todos los días de 8 de la mañana a 12 de la noche.

_____

_____

_____

_____

_____

_____

2.4. Las funciones del lenguaje en un contexto

Lea el texto siguiente y señale qué funciones del lenguaje encuentra en cada una de las oraciones marcadas con un número entre paréntesis.

EJEMPLO: Oración: (1) El libro trataba de geología
Función: informativa

(1) El juicio comenzó a las diez y media. Cuando la señora jueza le preguntó a Mariola la razón que la traía a la corte, ella respondió acaloradamente: "Pues ya ve, (2) este estúpido que tengo de esposo, que no me da dinero. (3) ¡Y yo estoy ya tan cansada de tanto trabajar, en el hogar, en la oficina, con los niños...!". La jueza intentó tranquilizar a Mariola: (4) "A ver, señora, siéntese y no insulte". A continuación, el marido de Mariola recibió la palabra: (5) "Señora jueza, ¿qué tal está? (6) ¡Yo no puedo creer lo que estoy oyendo!" (7)"Bueno, explíqueme por qué", intervino la jueza. (8) Después de una hora escuchando declaraciones, la letrada anunció su veredicto."(9) Siento mucho lo que le está pasando. Sin embargo, (10) le concedo el divorcio a su esposa."

1. _____
2. _____
3. _____
4. _____
5. _____
6. _____
7. _____
8. _____
9. _____
10. _____

2.5. Cada oveja con su pareja

Enlace cada uno de los elementos de la columna de la izquierda (con números) con su correspondiente definición de la columna de la derecha (con letras).

_____ 1. Fonética	a.	Estudio de la evolución temporal
_____ 2. Actuación	b.	Estudio del significado de las palabras
_____ 3. Lexicografía	c.	Lo que se relaciona con el signo
_____ 4. Referente	d.	No motivado
_____ 5. Diacronía	e.	Estudio de la producción de los fonos
_____ 6. Filología	f.	Capacidad de construir estructuras gramaticales
_____ 7. Arbitrario	g.	Estudio de la lengua y literatura
_____ 8. Fonología	h.	Estudio de la composición de diccionarios
_____ 9. Competencia	i.	Estudio de los fonos en el sistema
_____ 10. Semántica	j.	Acto de habla

2.6. Características del lenguaje humano

Señale la característica del lenguaje que destaque en cada diálogo.

EJEMPLO: Contexto: Dos amigos en un bar

— Oye, mira qué chica tan guapa.

— Yo la conozco, es una amiga de mi hermana. Si quieres te la presento...

— Sí, sí, por favor, me encantaría conocerla.

Característica: Medio de comunicación y forma de socialización

Características del lenguaje:

a. Medio de comunicación y forma de socialización

b. Oral

c. Creativo

d. Arbitrario

e. Sistemático

SITUACIÓN 1

Contexto: Pepa y Manolo se encuentran en una parada de autobús

— Hola Pepa, ¿qué haces?

— Ya ves, aquí, revisteando un poco, mientras espero el bus.

— ¿Qué?

— Hojeando unas revistas, hombre, que no te enteras de nada...

Característica: _____

SITUACIÓN 2

Contexto: En una oficina

— Hola, ¿qué tal? Eres nueva aquí, ¿no?

— Sí, hoy es mi primer día en la oficina. Antes trabajaba en Nueva York, pero decidí mudarme a California.

— ¡Bienvenida, entonces! Mi nombre es Ángel.

— Yo soy Cristina. Encantada de conocerte.

— Lo mismo digo. Nos vemos.

Característica: _____

SITUACIÓN 3

Contexto: En la clase de español

— La oración "Yolanda dijo me adiós" es incorrecta. ¿por qué?

— Porque el pronombre debe ir delante del verbo, profesora.

— ¿Es siempre así?

— No, profesora, sólo cuando el verbo no es ni un infinitivo, ni un gerundio, ni un imperativo.

Característica: _____

SITUACIÓN 4

Contexto: Un abuelo y su nieto de tres años conversan

— Abu, ¿por qué el sol se llama sol y no luna?

— Porque sí, niño, qué preguntas tienes...

Característica: _____

Contexto: Amigos en una cafetería

– Bueno, Alfonso, ¿y qué tal te fue en tu retiro espiritual?

– Pues, bien, mucha naturaleza y mucha meditación, pero como teníamos que guardar silencio para concentrarnos mejor, al final yo ya estaba harto... Cada vez que necesitaba algo (sal en la mesa, una toalla limpia...), me pasaba una hora intentando explicárselo al asistente de turno. Un peñazo, de verdad...

Característica: _____

2.7. Los componentes del lenguaje

Diga qué rama de la lingüística se corresponde con cada uno de los componentes del lenguaje y explique qué estudia cada una de estas ramas, proporcionando además un ejemplo, como en el modelo.

MODELO: Componente fonológico (sonidos del habla)

Rama: Fonética
Estudia la articulación de los fonos, que, en español, se producen siempre con aire espirado, como por ejemplo, las consonantes y los vocales.

a) Componente fonológico

_____

_____

_____

b) Componente morfológico

_____

_____

_____

c) Componente sintáctico

_____

_____

_____

d) Componente semántico

_____

_____

_____

e) Componente pragmático

_____

_____

_____

2.8. Gramáticas

Indique qué "gramática" se aplica a cada definición.

EJEMPLO: Manual de aprendizaje de una lengua extranjera
2. Libro que recoge las reglas prescriptivas de un idioma

Gramáticas: *Definiciones:*

_____ 1. Conjunto de reglas prescriptivas de un idioma

a. Estudio de los componentes del lenguaje realizado por los lingüistas

_____ 2. Libro que recoge las reglas prescriptivas de un idioma

b. Obra estudiada por los alumnos de lingüística

_____ 3. Conjunto de reglas descriptivas

c. Objeto de estudio en las clases de una segunda lengua

_____ 4. Competencia lingüística

d. Normas usadas por la madre que corrige la forma de hablar de su hijito

_____ 5. Análisis de la actuación lingüística

e. Obra de consulta imprescindible para estudiar una segunda lengua

2.9. ¿Verdadero o falso?

Señale con un círculo la respuesta correcta (verdadero: V - falso: F).

EJEMPLO: Managua es la capital de Honduras.   V   (F)

1. "Lenguaje", "lengua" y "lingüística" son términos sinónimos   V   F
2. Un idiolecto es una variante geográfica de una lengua   V   F
3. Un hablante nativo posee competencia lingüística   V   F
4. Todas las lenguas actuales tienen representación escrita   V   F
5. Una comunidad de habla comparte un dialecto   V   F
6. El estilo del habla se adapta al contexto comunicativo   V   F
7. El lenguaje humano no se caracteriza por su creatividad   V   F
8. La gramática describe el uso del idioma   V   F
9. Los signos lingüísticos son arbitrarios   V   F
10. Siempre existe una relación lógica entre la palabra y su referente   V   F
11. El lenguaje puede cambiar el comportamiento del oyente   V   F
12. Los universales lingüísticos son compartidos por todas las lenguas   V   F
13. El lenguaje humano es esencialmente oral   V   F
14. Las reglas descriptivas son específicas de cada idioma   V   F
15. Todos los idiomas poseen fonos vocálicos y consonánticos   V   F
16. La lingüística diacrónica estudia las distintas variantes geográficas de la lengua   V   F
17. Las competencias lingüística y comunicativa son lo mismo   V   F
18. Un insulto es un ejemplo de la función informativa   V   F
19. Las onomatopeyas reproducen exactamente las voces de los animales   V   F
20. La cultura de cualquier sociedad humana depende del lenguaje   V   F
21. El acto de habla puede crear una realidad   V   F
22. Un dialecto es una variación regional de una lengua   V   F
23. Un arcaísmo es un término en desuso   V   F
24. Cada idioma tiene sólo una variante considerada la norma culta   V   F
25. La escritura es una representación exacta de los fonos   V   F

2.10. Prueba de autoevaluación

Para realizar esta actividad de revisión y autoevaluación de forma adecuada:

- no debe utilizar ningún tipo de material (apuntes, libro, etc.).
- no puede emplear más de quince minutos en la realización de los ejercicios.
- debe seguir la escala de notas indicada a continuación.

Escala de notas:

(A) 50–45 puntos   (B) 44–40 puntos   (C) 39–35 puntos   (D) 34–30 puntos   (F) 29–0 puntos

1. Nombre una característica del lenguaje humano que no aparezca en los sistemas de comunicación del resto de los animales
(5 puntos)

_____

_____

_____

2. ¿Qué función del lenguaje le permite al hablante influir en el comportamiento del oyente? (5 puntos)

_____

_____

_____

3. ¿Pueden considerarse las lenguas romances dialectos del latín? ¿Por qué? (10 puntos)

_____

_____

_____

4. ¿Cómo se llama el lingüista a quien se le atribuye el estudio de los términos "competencia" y "actuación"?
(10 puntos)

_____

_____

_____

5. Mencione cinco universales lingüísticos (20 puntos)

_____

_____

_____

Capítulo 3:
Fonética: Los sonidos del habla

3.1. Acento tónico

Localice la sílaba tónica y separe en sílabas las palabras siguientes.

EJEMPLO: Pal**me**ra   Sílaba tónica: "me" ; división silábica: pal - me - ra

1. Cielo _____ _____
2. Comería _____ _____
3. Vianda _____ _____
4. Advenedizo _____ _____
5. Prométemelo _____ _____
6. Avión _____ _____
7. Cubrir _____ _____
8. Mantecado _____ _____
9. Cántaro _____ _____
10. Intimidad _____ _____

3.2. Consonantes fricativas y africadas

Identifique las consonantes fricativas y africadas en las palabras siguientes, reescriba la sílaba en la que aparecen, descríbalas (proporcionando su punto de articulación y diciendo si son sonoras o sordas) y transcríbalas como en el ejemplo. Use una variedad estándar del español con distinción.

EJEMPLO: Gafas: "fas"   Labiodental sorda   [f]

1. Bodega _____ _____ _____
2. Dramatizaciones _____ _____ _____
3. Siestecita _____ _____ _____
4. Geminación _____ _____ _____
5. Vividor _____ _____ _____
6. Muchacha _____ _____ _____
7. Murciélago _____ _____ _____
8. Fuerteventura _____ _____ _____
9. Chamarras _____ _____ _____
10. Málaga _____ _____ _____

3.3. Modo de articulación

Identifique el modo de articulación de las consonantes en **negrilla** en las palabras siguientes, reescriba la sílaba en la que aparecen, descríbalo, diciendo si son sonoras o sordas, y transcríbalas como en el ejemplo. Use una variedad estándar del español con distinción.

EJEMPLO: <u>T</u>o<u>d</u>o: "to"   oclusiva sorda   [t]

1. **D**ía _____ _____ _____
2. **G**ato _____ _____ _____
3. Ca**d**a _____ _____ _____
4. A**gu**acero _____ _____ _____
5. Hue**lg**a _____ _____ _____
6. **Mex**ica**n**o _____ _____ _____
7. **Q**ue**j**i**d**o _____ _____ _____
8. Ar**g**elino _____ _____ _____
9. **J**uer**g**a _____ _____ _____
10. Cir**c**unferen**c**ia _____ _____ _____

3.4. Consonantes velares

Identifique los sonidos consonánticos velares en las palabras siguientes, reescriba las sílabas en las que estos fonos aparecen y transcríbalos como en el ejemplo.

EJEMPLO: Gato   "ga"   [g]

1. Zueco _____ _____
2. Guinda _____ _____
3. Quijotesco _____ _____
4. Aguacero _____ _____
5. Huelga _____ _____
6. Mexicano _____ _____
7. Quejido _____ _____
8. Argelino _____ _____
9. Juerga _____ _____
10. Circunferencia _____ _____

3.5. Signos fonéticos

Escriba el signo fonético correspondiente a la descripción articulatoria.

                                       Signo

EJEMPLO: Oclusiva velar sonora   [g]

1. Africada alveopalatal sorda _____
2. Lateral alveolar sonora _____
3. Fricativa palatal sonora _____
4. Fricativa alveolar, sorda _____
5. Fricativa velar, sorda _____
6. Nasal palatal sonora _____
7. Oclusiva bilabial sorda _____
8. Vibrante simple alveolar sonora _____
9. Africada palatal sonora _____
10. Oclusiva velar sorda _____

3.6. Palabras y sonidos

Transcriba el sonido descrito en cada uno de los casos y escriba una palabra que comience con este sonido.

EJEMPLO: Oclusivo dental sordo   [t]   Tarea

1. Nasal bilabial sonoro _____
2. Oclusivo bilabial sordo _____
3. Vibrante múltiple alveolar sonoro _____
4. Medio anterior no redondeado _____
5. Oclusivo dental sonoro _____
6. Fricativo alveolar sordo _____
7. Nasal palatal sonoro _____
8. Alto posterior redondeado _____
9. Labiodental fricativo sordo _____
10. Medio posterior redondeado _____

3.7. Descripción articulatoria

Escriba los rasgos articulatorios de las siguientes consonantes españolas.

EJEMPLO: [b]   *bilabial*   *oclusiva*   *sonora*

1. [s] _____
2. [ɣ] _____
3. [g] _____
4. [x] _____
5. [z] _____
6. [ñ] _____
7. [β] _____
8. [y] _____
9. [r] _____
10. [k] _____
11. [ð] _____
12. [p] _____
13. [t] _____
14. [λ] _____
15. [n] _____
16. [b] _____
17. [R] _____
18. [l] _____
19. [m] _____
20. [h] _____

3.8. Transcripción

Transcriba fonéticamente las siguientes palabras realizando asimismo la división silábica.

Ejemplo: Cadena [ka-ðé-na]

1. Geriatría _____
2. Arqueólogo _____
3. Carterista _____
4. Hígado _____
5. Alcachofa _____
6. Carreta _____
7. Jefazo _____
8. Castaña _____
9. Diario _____
10. Híbrido _____
11. Xilófono _____
12. Ratero _____
13. Habladurías _____
14. Pseudónimo _____
15. Herradura _____

3.9. ¿Verdadero o falso?

Señale con un círculo la respuesta correcta (verdadero: V - falso: F)

Ejemplo: Montevideo no es la capital de Uruguay.   V   (F)

1. La fonética auditiva estudia la articulación de los fonos	V	F
2. La oración enunciativa empieza siempre con un nivel tonal medio	V	F
3. [u] es una deslizada	V	F
4. Las consonantes homorgánicas tienen el mismo punto de articulación	V	F
5. Algunas consonantes no presentan obstáculo a la salida del aire	V	F
6. Dos vocales juntas en una misma sílaba forman un hiato	V	F
7. [m], [ñ] y [n] tienen el mismo modo de articulación	V	F
8. Las deslizadas no pertenecen al grupo de las sonantes	V	F
9. Todas las nasales tienen el mismo modo de articulación	V	F
10. Los hiatos están formados por una vocal y una deslizada	V	F
11. Los sonidos se producen con aire espirado	V	F
12. Todas las consonantes son fonos no sonantes	V	F
13. Los diptongos están formados por dos o más vocales	V	F
14. El ritmo del español no es de tipo silábico	V	F
15. Todas las vocales son sonoras	V	F
16. Cualquier fono puede ser núcleo silábico	V	F
17. Una consonante obstruyente es [-sonante]	V	F
18. No todas las palabras llevan acento prosódico	(V)	F
19. [l] y [r] tienen el mismo punto de articulación	V	F
20. Un triptongo está formado por una deslizada entre dos vocales	V	F

21. El tono es el volumen en la producción del fono   V   F

22. Las vocales anteriores son redondeadas   V   F

23. Un dígrafo son dos letras que representan sólo un sonido   V   F

24. Todos los fonos del español son orales   V   F

25. Cuando las cuerdas vocales no vibran, tenemos un sonido sonoro   V   F

3.10. Prueba de autoevaluación

Para realizar esta actividad de revisión y autoevaluación de forma adecuada:

- no debe utilizar ningún tipo de material (apuntes, libro, etc.).
- no puede emplear más de quince minutos en la realización de los ejercicios.
- debe seguir la escala de notas indicada a continuación.

Escala de notas:

    (A) 50-45 puntos   (B) 44-40 puntos   (C) 39-35 puntos   (D) 34-30 puntos   (F) 29-0 puntos

1. Escriba los fonos bilabiales del español (5 puntos)

2. ¿Bajo qué circunstancias pueden ser las deslizadas núcleo silabico? (5 puntos)

3. Escriba los fonos labiodentales del español (5 puntos)

4. Describa los siguientes fonos del español. (3 puntos por fono = 15 puntos)

    1. [r] _____

    2. [e] _____

    3. [p] _____

    4. [x] _____

    5. [y] _____

5. Transcriba fonéticamente las siguientes palabras realizando también la división silábica. (4 puntos por palabra = 20 puntos)

    1. Sequía

    2. Churrero

    3. Jueguecito

    4. Agobiado

    5. Metálico

Capítulo 4:
Fonología: Los fonemas del español

4.1. Grafías, alófonos y fonemas

Escriba, para cada una de las grafías que aparecen a continuación, el alófono del español estándar (variedad seseante) que éstas representan en la escritura y el fonema correspondiente a cada alófono.

EJEMPLO:	Grafías	Alófonos	Fonemas
	"d"	[ð d]	/d/
1.	"b"	[β b p]	/b/
2.	"c"	[k s x]	/s/ /k/
3.	"h"	ninguno	ninguno
4.	"s"	[s z]	/s/
5.	"ñ"	[ñ]	/ñ/
6.	"x"	[ks χ s]	/s/ /ks/
7.	"u"	[u u̯]	/u u̯/
8.	"v"	[b β]	/b/
9.	"l"	[l]	/l/
10.	"z"	[s]	/s/
11.	"n"	[n]	/n/
12.	"r"	[r r̃]	/r/ /r̃/
13.	"qu"	[k]	/k/
14.	"g"	[g χ x k]	/g/ /x/
15.	"ch"	[tʃ]	/tʃ/

4.2. Palabras, fonos y pares mínimos

Proporcione el fono correspondiente a cada descripción articulatoria y escriba una palabra que contenga todos los fonos descritos (en cualquier posición) y ningún otro fono consonántico. A continuación busque un par mínimo de esta palabra.

EJEMPLO:	Oclusivo velar sordo / Nasal bilabial sonoro	Palabra : *coma*
	[k] / [m]	Par mínimo de *coma* = copa

1. Vibrante múltiple alveolar sonoro + Vibrante simple alveolar sonoro

[r̃] + [r]

_____

2. Fricativo bilabial sonoro / Fricativo velar sonoro / Fricativo dental sonoro

[β] / [x] / [ð]

_____

3. Oclusivo bilabial sonoro / Vibrante simple alveolar sonoro

[b] / [ɾ]

4. Lateral alveolar sonoro / Oclusivo dental sordo + Nasal alveolar sonoro

[l] / [t] + [n]

5. Africado alveopalatal sordo / Oclusivo dental sordo

[tʃ] / [t]

6. Nasal alveolar sonoro / Nasal bilabial sonoro

[n] / [m]

7. Oclusivo bilabial sordo / Vibrante múltiple alveolar sonoro / Fricativo alveolar sordo

8. Oclusivo velar sordo / Fricativo velar sordo

9. Vibrante múltiple alveolar sonoro / Fricativo dental sonoro

10. Oclusivo velar sordo / Fricativo interdental sordo / Fricativo dental sonoro

4.3. Reconociendo fonos en un entorno fonético

Transcriba y describa los fonos representados por las grafías subrayadas en el texto siguiente (el número se refiere siempre al fono que aparece a continuación). Tenga en cuenta una pronunciación seseante. Es importante considerar los sonidos próximos (el entorno fonético), como aparece en el ejemplo.

EJEMPLO: ¿(1) Vamos al cine o no (2) vamos?
1. [b] Oclusivo bilabial sonoro (entorno fonético: posición inicial)
2. [β] Fricativo bilabial sonoro (entorno fonético: después de vocal)

El (1) verano (2) es mi (3) estación favorita.
1. [b] fricativo bilabial sonoro
2. [z] fricativo alveolar sonoro
3. [m] nasal labiodental sonoro

En esa época del (4) año, la vida se (5) expande (6) y se llena de luz.
4. [ñ] nasal palatal sonoro
5. [ks] Oclusivo velar sordo
6. [i] Alto anterior

(7) To_dos (8) e_stamos de buen (9) _humor, sin (10) a_ngustias.

7. [   ] _____

8. [   ] _____

9. [   ] _____

10. [   ] _____

Paseamos (11) a_ltivos, con los (12) o_jos bien (13) abie_rtos.

11. [   ] _____

12. [   ] _____

13. [   ] _____

Vamos (14) (15) conte_mplando (16) p_lácidamente nuestro (17) _destino.

14. [   ] _____

15. [   ] _____

16. [   ] _____

17. [   ] _____

Es un destino (18) _que, por una vez, aparece (19) brilla_nte y (20) feli_z.

18. [   ] _____

19. [   ] _____

20. [   ] _____

4.4. Alófonos y fonemas

Escriba el signo fonético del alófono y el fonema que corresponda a la descripción articulatoria proporcionada.

EJEMPLO: Bilabial fricativo sonoro   Alófono [β]   Fonema /b/

	Alófono	*Fonema*
1. Faríngeo fricativo sordo	_____	_____
2. Alveolar fricativo sonoro	_____	_____
3. Palatal nasal sonoro	_____	_____
4. Labiodental fricativo sordo	_____	_____
5. Velar fricativo sonoro	_____	_____
6. Interdental fricativo sordo	_____	_____
7. Alveopalatal africado sordo	_____	_____
8. Alveolar lateral sonoro	_____	_____
9. Velar nasal sonoro	_____	_____
10. Dental fricativo sonoro	_____	_____

4.5. Procesos fonológicos

En el habla normal, operan varios procesos fonéticos que imparten a las palabras una realización fonética distinta a la pronunciación lenta y cuidada. En las frases a la izquierda, la pronunciación en transcripción fonética señala la modificación de uno o más fonemas. Siguiendo el ejemplo, identifique el proceso involucrado en la transcripción representada en cada caso.

EJEMPLO: Los otros han llegado /lo-so-tro-san-ye-gá-o/
           Enlace de [s] y [o]; enlace de [s] y [a]; pérdida (epéntesis) de [d] intervocálica.

1. El prelado dijo: "Siéntense, señores" [el-per-lá_o-_i-xo-si̯én-ten-sen-se-ño-res]

_____

2. ¿Vamos al teatro? [ba-mo-sal-te-á-tro]

_____

3. No bebas tanto alcohol, mi hijito. [no-βé-βas-tán̪-toal-kól-mi-xí-to]

_____

4. ¿Te alegró esa noticia? [tia-le-ɣró-e-sa-no-tí-sia]

_____

5. Mi viejo está en el huerto. [mi-βi̯é-xos-tá-nel-ɣu̯ér-to]

_____

4.6. Cada oveja con su pareja

Enlace cada uno de los elementos de la columna de la izquierda (con números) con su correspondiente pareja de la columna de la derecha (con letras).

_____	1. Homónimos	a.	"Coro" y "corro"
_____	2. Distinción	b.	Ausencia de /λ/
_____	3. Yeísmo	c.	"Jugado"⇒[xuɣáo]
_____	4. Diptongación	d.	Mantenimiento de la oposición /s/ y /θ/
_____	5. Asimilación	e.	[ʃ]
_____	6. Par mínimo	f.	Mantenimiento de /λ/ y /y/
_____	7. Seseo	g.	Adquisición de rasgos articulatorios de sonidos vecinos
_____	8. Lleísmo	h.	"Vaca" y "baca"
_____	9. Relajamiento de [tʃ]	i.	"Peor" ⇒ [pi̯ór]
_____	10. Apócope	j.	Ausencia de /θ/

4.7. Transcripción fonológica

Transcriba fonológicamente las siguientes palabras.

EJEMPLO: Elegante   /elegánte/

1. Condecoraciones

_____

2. Geometría

_____

3. Jilguero

_____

4. Champiñón

_____

5. Cumpleaños

_____

6. Ahijada

_____

7. Psiquiatra

_____

8. Aplomo

_____

9. Aberrantemente

_____

10. Subterráneo

_____

11. Helados

_____

12. Tortazo

_____

13. Caldeado

_____

14. Anfibio

_____

15. Incurable

_____

4.8. Transcripción fonológica y fonética

Transcriba fonológica y fonéticamente las siguientes palabras.

EJEMPLO: Lavadora   /labadóra/   [laβaðóra]

1. Invidente   _____   _____
2. Esbozado   _____   _____
3. Antigüedades   _____   _____
4. Vivencia   _____   _____
5. Herrumbre   _____   _____
6. Intencionadamente _____   _____
7. Vulnerabilidad   _____   _____
8. Inyección   _____   _____
9. Generalizable   _____   _____
10. Bidente   _____   _____

4.9. ¿Verdadero o falso?

Señale con un círculo la respuesta correcta (verdadero: V - falso: F)

EJEMPLO: Bogotá es la capital de Colombia.   (V)   F

1. La fonología estudia la producción de los fonos de una lengua   V   (F)
2. La asimilación es un proceso fonológico   (V)   F
3. Las palabras homónimas tienen el mismo significado   V   (F)
4. El número de fonemas consonánticos es mayor que el de alófonos.   V   (F)

5. /b/ se manifiesta siempre con un alófono oclusivo   V   (F)
6. El ritmo del inglés es acentual   (V)   F
7. La metátesis es un fenómeno común en la lengua culta   V   (F)
8. El fonema es un concepto abstracto   (V)   F
9. Las deslizadas pertenecen al conjunto de los fonemas del español   (V)   F
10. La sinalefa es la unión en una sílaba de dos vocales contiguas   (V)   F
11. La articulación de [θ] es difícil para los angloparlantes   V   (F)
12. La unidad estudiada por la fonología se denomina alófono   V   (F)
13. Un hablante seseante no distingue entre [s] y [z]   (V)   F
14. La ortografía del español no refleja la pronunciación seseante ni yeísta   (V)   F
15. La epéntesis es la eliminación de un fonema en posición intervocálica   V   (F)
16. La variación libre no está condicionada por el entorno fónico   (V)   F
17. En español hay tantos fonemas vocálicos como en inglés   V   (F)
18. Las palabras "hola" y "ola" constituyen un par mínimo   V   (F)
19. [z] es un alófono de /θ/   V   (F)
20. [ñ] puede ser un alófono de /n/   (V)   F
21. [p t k] se pronuncian de forma similar en español e inglés   V   (F)
22. El acento de intensidad tiene valor contrastivo   (V)   F
23. La [r] española es muy parecida a la inglesa   V   (F)
24. Algunas hablas yeístas tienen el fonema /ʎ/   V   (F)
25. Un grupo fónico es un conjunto variado de fonos   V   (F)

4.10. Prueba de autoevaluación

Para realizar esta actividad de revisión y autoevaluación de forma adecuada:

- no debe utilizar ningún tipo de material (apuntes, libro, etc.).
- no puede emplear más de quince minutos en la realización de los ejercicios.
- debe seguir la escala de notas indicada a continuación.

Escala de notas:

   (A) 50–45 puntos   (B) 44–40 puntos   (C) 39–35 puntos   (D) 34–30 puntos   (F) 29–0 puntos

1. ¿Qué fonemas se neutralizan en un hablante yeísta? (5 puntos)

   _____

   _____

2. Cuando el contraste fonológico /r/:/l/ desaparece a favor del fonema /l/ (el hablante pronuncia las vibrantes como laterales), ¿ante qué fenómeno estamos? (5 puntos)

   _____

   _____

3. Escriba un ejemplo de un "par mínimo" (5 puntos)

   _____

   _____

4. ¿Qué fonemas se neutralizan en un hablante ceceante? (5 puntos)

   _____

   _____

5. Describa los siguientes sonidos del español. (2 puntos por fono = 10 puntos)

    1. [ɤ] _____

    2. [β] _____

    3. [θ] _____

    4. [ð] _____

    5. [ņ] _____

6. Transcriba fonológicamente las siguientes palabras. (4 puntos por palabra = 20 puntos)

    a) Esquela

    _____

    b) Abanico

    _____

    c) Guitarra

    _____

    d) Rasgado

    _____

    e) Viento

    _____

Capítulo 5
Morfología: Forma y función de las palabras

5.1. Localizar morfemas

Divida las palabras siguientes en morfemas e indique si son morfemas léxicos o estructurales.

EJEMPLO: Perrito   perr: M. léxico – it: M. léxico – o: M. estructural

1. Dudar

    _____

2. Niñera

    _____

3. Gentuza

    _____

4. Aspiración

    _____

5. Decapitar

    _____

6. Veintidós

    _____

7. Viajaba

    _____

8. Atea

    _____

9. Tristemente

    _____

10. Estuve

    _____

5.2. Palabras flexionadas

Partiendo de los términos que aparecen a continuación (es decir, tomándolos como radical), busque dos palabras relacionadas con ellos por flexión.

EJEMPLO: "tonto"   tontos / tonta

1. Salvar

    _____

2. Feos

    _____

3. Gordo

    _____

4. Cortar

_____

5. Amarillo

_____

6. Sabido

_____

7. Aquel

_____

8. Malo

_____

9. Sabia (adj.)

_____

10. Este

_____

5.3. Alomorfos

Identifique los verbos de la lista y dé los alomorfos del radical de cada uno de ellos.

EJEMPLO: estoy   estaba   estuve   estar
Infinitivo: estar
Alomorfos de el radical del infinitivo: est-, estuv-

(estoy)	salía	durmiendo	pondré	decir
puedo	salgo	fue	pude	salir
dormía	dije	pongo	vas	poder
dormir	vine	hacer	vengo	era
soy	(estaba)	hizo	quise	tener
hacía	tengo	ser	viene	hago
dirá	querré	haré	(estuve)	decía
tiene	venir	tendré	puse	podía
hice	tuve	saldré	querer	vendré
seré	quería	venía	tenía	diciendo
poner	digo		quiero	(estar)

1. _____

2. _____

3. _____

4. _____

5. _____

6. _____

7. _____

8. _____

9. _____

10. _____

5.4. Palabras derivadas

Partiendo de los términos que aparecen a continuación (es decir, tomándolos como radical), busque dos palabras relacionadas con ellos por derivación.

EJEMPLO: "Papel"   Papelera / papelería

1. Agua

_____

2. Chocolate

_____

3. Nadar

_____

4. Cielo

_____

5. Hablar

_____

6. Zapato

_____

7. Té

_____

8. Teléfono

_____

9. Presentar

_____

10. Casa

_____

5.5. ¿Afijos flexionales o derivativos?

Identifique si cada una de las palabras está formede por derivación o por flexión.

EJEMPLO: psicología – psicóloga – parapsicología – parapsicológico
Palabras flexionadas: psicóloga
Palabras derivadas: psicología, parapsicología, parapsicológico

1. flechó - flechas - flechar - flechazo - flecharemos

_____

2. dictadura - dictaduras - dictatorial - dictatorialmente

_____

3. aguada – aguamos – aguas – aguacero

_____

4. linda – lindísimo – lindeza – lindura

_____

5. nevó – nevar – nevada – neviscar

_____

6. casucha – casona – casero – casilla

_____

7. fonos – alófono – fonética – eufonía - teléfono

_____

8. aceituna – aceitar – aceitoso - aceites

_____

9. deshacer – hecho – hago – contrahecho - rehacer

_____

10. llover – lloviznas – llueve – lluvioso

_____

5.6. Palabras compuestas

Partiendo de los términos que aparecen a continuación, busque dos palabras relacionadas con ellos por composición.

Ejemplo: "Sacar"   Sacacorchos / Sacamuelas

1. Cara

_____

2. Lavar

_____

3. Pelo

_____

4. Casa

_____

5. Café

_____

6. Lápiz

_____

7. Parar

_____

8. Dulce

_____

9. Portar

_____

10. Papel

_____

5.7. Familia de palabras

Usando como radical las palabras siguientes, encuentre un término formado por flexión, derivación y composición a partir de cada una de ellas (utilice el diccionario si lo cree necesario).

	Flexión:	Derivación:	Composición:
Ejemplo: Corcho	Corchos	Acorchado	Sacacorchos
1. Flor			
2. Limpiar	limpia	limpede	
3. Droga			

4. Cuento _____ _____ _____

5. Abrir _____ _____ _____

6. Diente _____ _____ _____

7. Mano _____ _____ _____

8. Cortar _____ _____ _____

9. Pie _____ _____ _____

10. Matar _____ _____ _____

5.8. Creación de neologismos

5.8.a. Invente un sustantivo, adjetivo o verbo para cada una de las definiciones siguientes.

EJEMPLO: Un pronombre sujeto de tercera persona de plural que no sea ni masculino ni femenino: "Elles"

1. El nombre de un objeto para escribir que combine un lápiz y un bolígrafo.

_____

2. El nombre de un software para corregir errores antes de que se hayan cometido.

_____

3. Un adjetivo que signifique frío lo suficiente como para ponerse un jersey de lana.

_____

4. Un verbo que signifique leer rápidamente, saltando cada tercera línea.

_____

5. Un verbo que signifique hace un tiempo ideal como para salir en camiseta.

_____

5.8.b. Invente palabras formadas con el nombre del producto comercial y escriba un anuncio como el que se da en el modelo:

EJEMPLO: Un producto llamado Garrón para limpiar coches.
Anuncio: Limpiar el auto con Garrón es limpiarlo dos veces. ¡En vez de lavar su coche, garronéelo!

1. Una pintura para paredes, llamada Paredex.

_____

_____

2. Una copiadora llamada Bemox.

_____

_____

3. Un detergente para la ropa llamado Blancax.

_____

_____

4. Un cereal para el desayuno, llamado Maizfloc.

_____

_____

_____

5. Zapatillas para correr de la marca Velocex.

_____

_____

_____

5.9. ¿Verdadero o falso?

Señale con un círculo la respuesta correcta (verdadero: V - falso: F).

Ejemplo: Madrid no es la capital de España   V   (F)

1. El morfema es la unidad máxima de significado   V   (F)
2. Un alomorfo es un concepto abstracto realizado por los morfemas   V   (F)
3. Todos los morfemas léxicos son, a su vez, morfemas libres   V   (F)
4. Un prefijo puede ser un morfema léxico   (V)   F
5. La flexión crea neologismos   V   (F)
6. Los sufijos peyorativos no modifican la clase gramatical de la palabra   (V)   F
7. Los artículos no son morfemas léxicos   (V)   F
8.) La variación de género en la palabra siempre marca una diferencia sexual en la realidad   V   (F)
9. El leísmo es el uso de "le" para objeto directo de persona   (V)   F
10. Sólo existen tres procesos de formación de palabras en español   V   (F)
11. Los pronombre son una clase léxica   V   (F)
12. No todos los afijos son morfemas ligados   V   (F)
13. Los artículos determinados son morfemas ligados   V   (F)
14. Una expresión idiomática es un modismo   (V)   F
15. La formación sintética es un tipo de composición   (V)   F
16. Un morfema libre es siempre una palabra independiente   (V)   F
17. La reducción consiste en eliminar sílabas sólo al final de la palabra   (V)   (F)
18.) "Pelirrojo"es un compuesto subordinado   (V)   F
19. La flexión es el proceso más productivo en la creación de léxico   V   (F)
20. Un morfema léxico no tiene significado extralingüístico   (V)   F
21. El radical de un verbo puede tener distintos alomorfos   (V)   F
22. Los pronombres átonos son morfemas ligados   (V)   F
23. Las terminaciones verbales son morfemas gramaticales   (V)   F
24.) El género de los sustantivos es masculino, femenino y/o neutro   V   (F)
25. Los afijos y los prefijos pertenecen al grupo de los sufijos   V   (F)

5.10. Prueba de autoevaluación

Para realizar esta actividad de revisión y autoevaluación de forma adecuada:

- no debe utilizar ningún tipo de material (apuntes, libro, etc.).
- no puede emplear más de quince minutos en la realización de los ejercicios.
- debe seguir la escala de notas indicada a continuación.

Escala de notas:
   (A) 50-45 puntos   (B) 44-40 puntos   (C) 39-35 puntos   (D) 34-30 puntos   (F) 29-0 puntos

1. ¿Cómo se denominan las palabras como "chatear"? Realice asímismo la división en morfemas de "chatear". (10 puntos)

   _____

   _____

2. ¿Cuáles son los tres procesos principales en la producción de palabras en español? (5 puntos)

   _____

3. Proporcione un ejemplo de un modismo. (5 puntos)

   _____

   _____

4. ¿Qué afijo significa "contrario/a"?. Proporcione dos ejemplos usando este afijo (10 puntos)

   _____

   _____

5. Identifique los morfemas de las palabras siguientes como en el modelo: (20 puntos)

   Modelo: Niñas → Niñ {Radical}, a {género femenino}, s {número plural}

   Bailo: _____

   _____

   Americano: _____

   _____

   Comprando: _____

   _____

   Cerdito: _____

   _____

Nombre: _____ **Curso:** _____

Fecha: _____ **Sección:** _____

Instructor: _____

Capítulo 6

Sintaxis I: La estructura de las oraciones

6.1. Sintagmas adjetivales, preposicionales y adverbiales

Señale los sintagmas adjetivales, preposicionales y adverbiales de las oraciones que siguen, indicando también en cada caso a qué elementos complementan (como en el ejemplo).

EJEMPLO: Lolita está contenta

SAdj: "contenta" (complementa a "está")

1. Tú y yo somos amigos excelentes

   SAdj: "excelentes" complementa a amigos

2. El lobo devoró a la abuela de Caperucita Roja

   SPrep: "de Caperucita Roja" complementa "a la abuela"

3. Ésta es mi casa nueva

   SAdj: "nueva" complementa casa

4. Los problemas de Paco y Lucía son tonterías

   SPrep: "de Paco y Lucía complementa

5. Todos iremos a la piscina mañana

   SPrep: "a la piscina" complementa iremos   SAdv: "mañana" complementa iremos

6. Ayer las preguntas del examen fueron fáciles

   SAdj: "fáciles" complementa las preguntas   prep "del examen" complementa las
   SAdv: "ayer" complementa fueron   preguntas

7. La niñera vigila atentamente a los niños pequeños desde la ventana

   SAdj: "pequeños" complementa los niños   prep "desde la ventana" complementa
   vigila

8. Hablar con usted es siempre un enorme placer

   _____

9. Por tu amor iría al fin del mundo

   _____

10. Nunca he dudado de la palabra de un buen amigo

    _____

6.2. Transformación en pasiva

Transforme las oraciones activas que siguen en construcciones pasivas, usando el verbo ser + participio.

EJEMPLO: Pepe pintó la pared

Pasiva: La pared fue pintada por Pepe

1. La jefa quizás haya despedido ya al nuevo empleado

   Pasiva: _____

2. Beatriz tiene que terminar el proyecto inmediatamente

   Pasiva: *El proyecto tiene que terminar inmediatamente por Beatriz.*

3. Los albañiles estaban renovando la antigua mansión

Pasiva: _____

4. Los científicos deben manipular las bacterias con mucho cuidado

Pasiva: _____

5. El cocinero continúa horneando el pavo

Pasiva: _____

6.3. Funciones sintácticas y semánticas

Indique en cada una de las oraciones qué palabras desempeñan estas funciones:

Funciones sintácticas: sujeto, complemento directo, complemento indirecto

Funciones semánticas: actor, paciente, beneficiario,

EJEMPLO: Gabriela bebe café

Sujeto: Gabriela   Actor: Gabriela

Complemento directo: café   Paciente: café

1. Acabo de enviarte la información para tu hermano

Sujeto: _la información_   Actor: _____

Complemento directo: _____ Paciente: _____

Complemento indirecto: _____ Beneficiario: _____

2. La actriz está siendo operada por los mejores cirujanos del estado

Sujeto: _____   Actor: _____

Complemento directo: _____ Paciente: _____

Complemento indirecto: _____ Beneficiario: _____

3. El entrenador elegirá a los jugadores el sábado

Sujeto: _____   Actor: _____

Complemento directo: _____ Paciente: _____

Complemento indirecto: _____ Beneficiario: _____

4. Verónica me trajo una bonita falda de su tienda

Sujeto: _____   Actor: _____

Complemento directo: _____ Paciente: _____

Complemento indirecto: _____ Beneficiario: _____

5. El pasaporte es exigido por los oficiales de aduanas a todos los viajeros extranjeros

Sujeto: _____   Actor: _____

Complemento directo: _____ Paciente: _____

Complemento indirecto: _____ Beneficiario: _____

6.4. Transformaciones

Señale qué transformaciones han tenido lugar en estas oraciones.

EJEMPLO: Pablo compró los libros → Pablo los compró

Proceso(s) de transformación: Sustitución del complemento directo por el clítico *los* y transposición del mismo.

1. Los estudiantes obtuvieron una buena nota → La obtuvieron

Proceso(s) de transformación: _____

2. Los clientes dieron las gracias a la dependienta → Se las dieron

   Proceso(s) de transformación: _____

3. El equipo de San Francisco ganó la medalla de oro → La medalla de oro la ganó el equipo de San Francisco

   Proceso(s) de transformación: _____

4. Yo no tengo preparada la cena para vosotros → No os la tengo preparada

   Proceso(s) de transformación: _____

5. La doctora visitó a los niños → Los visitó

   Proceso(s) de transformación: _____

6. Enrique volvió de la fiesta a las siete de la mañana → A las siete de la mañana volvió de la fiesta

   Proceso(s) de transformación: _____

7. Susana escribió una carta a su novio → Susana se la escribió

   Proceso(s) de transformación: _____

8. Lorena dio las entradas a sus amigos → A sus amigos se las dio

   Proceso(s) de transformación: _____

9. Eulalia preguntó a su madre qué regalo quería para su cumpleaños → La llamó y se lo preguntó

   Proceso(s) de transformación: _____

10. Fernando quería mucho a la hija de Elena → A la hija de Elena la quería mucho

    Proceso(s) de transformación: _____

6.5. Tipos de oraciones

Diga de qué tipo son las oraciones que aparecen a continuación (declarativa, negativa, interrogativa, imperativa, exclamativa) y realice las modificaciones necesarias para obtener oraciones de los tipos señalados en cada caso

EJEMPLO: Los niños están portándose mal
            Tipo: Oración declarativa
            Oración interrogativa (sí/no): ¿Están portándose mal los niños?
            Oración imperativa: ¡Pórtense bien, niños!

1. Las galletas de coco le encantan a Eloísa

   Tipo:

   _____

   1.a. Oración negativa

   _____

   1.b. Oración interrogativa (confirmatoria)

   _____

   1.c. Oración exclamativa

   _____

2. ¡Qué malas notas obtienes siempre!

   Tipo:

   _____

2.a. Oración declarativa

_____

2.b. Oración negativa

_____

3. Quiero que me ayudes a hacer las tareas
   Tipo:

_____

3.a. Oración negativa

_____

3.b. Oración interrogativa (sí/no)

_____

4. Cállate, que me voy a enfadar
   Tipo:

_____

4.a. Oración declarativa

_____

4.b. Oración interrogativa (disyuntiva)

_____

5. El electricista vendrá cuando tenga tiempo
   Tipo:

_____

5.a. Oración negativa

_____

5.b. Oración interrogativa (con pronombre o adverbio interrogativo)

_____

6.6. Clases de verbos

Señale a qué clase pertenecen los verbos de las oraciones siguientes: transitivos directos, transitivos indirectos, intransitivos, ditransitivos, copulativos, preposicionados.

Ejemplo: Belén es muy simpática
Verbo copulativo: "es"

1. Gabriela le escribió una carta a su hija

_____

2. He visto a la suegra de Marina

_____

3. Me aterrorizan las películas de fantasmas

_____

4. Fernando parece enfadado contigo porque anoche tú estuviste muy antipática

_____

5. Tengo dos hermanas y seis sobrinos

_____

6. Estoy pensando en ti

_____

7. Siempre como muchos dulces cuando estoy triste

_____

8. Les he comprado unos caramelos a tus hijos

_____

9. Anoche nevó por primera vez en este año

_____

10. La vecina de enfrente trabaja mucho.

_____

6.7. Diagramas con corchetes

Analice la estructura de estas oraciones utilizando corchetes.

EJEMPLO: Juan trabaja en una floristería
[O [SN Juan] [SV [V trabaja] [Sprep en una floristería]]]

1. Elisa hablaba tímidamente de su esposo

_____

_____

2. El bebé tomaba leche con el biberón

_____

_____

3. Ellos han comprado el regalo para el graduado

_____

_____

4. San Francisco es una ciudad preciosa

_____

_____

5. Laura llegó tarde al concierto

_____

_____

6. El tren viaja alegremente hacia el sur

_____

_____

7. Nadie conoce a Sofía en profundidad

_____

_____

8. Javier y Marcos trabajan bien en equipo

_____

_____

9. Los restaurantes son excelentes aquí en San Francisco

_____

_____

10. Los maestros observan a los alumnos desde la ventana

_____

_____

6.8. Diagramas arbóreos

Dibuje un diagrama arbóreo para analizar cada una de las oraciones que siguen.

EJEMPLO: Ana come galletas

1. Tenemos muchos amigos alemanes

2. La policía detuvo anoche al ladrón con la ayuda de los vecinos

3. La sintaxis estudia la organización de palabras en oraciones

4. He comprado una falda de algodón blanca

5. El examen de ingreso fue difícil para muchos estudiantes extranjeros

6.9. ¿Verdadero o falso?

Señale con un círculo la respuesta correcta (verdadero: V - falso: F).

EJEMPLO: Ajunción no es la capital de Chile   Ⓥ   F

1. La frase tiene sólo un verbo, mientras que la oración tiene más de uno   V   Ⓕ
2. El orden de las palabras señala su función sintáctica en la oración   Ⓥ   F
3. Un verbo intransitivo necesita un complemento directo   V   Ⓕ
4. El sintagma verbal forma el predicado de la oración   Ⓥ   F
5. "Qué" puede ser una conjunción subordinada   V   Ⓕ
6. Un enunciado mal formado es agramatical   Ⓥ   F

7. Las preposiciones son palabras estructurales   **(V)**   F

8. La "a personal" sirve para introducir objetos indirectos de persona   V   **(F)**

9. "Ver " es un verbo preposicionado   V   **(F)**

10. El beneficiario se corresponde con el complemento indirecto   **(V)**   F

11. La tematización es el desplazamiento de un sintagma al inicio de la oración   **(V)**   F

12. El núcleo de un sintagma nominal es el nombre   **(V)**   F

13. Las oraciones imperativas le ofrecen información al oyente   **(V)**   F

14. Las funciones semánticas de los constituyentes de la oración tienen que ver con su estructura   V   F

15. El actor es siempre el sujeto de la oración   V   F

16. "Ser", "estar" y "aparecer" son verbos copulativos   V   F

17. Una pregunta disyuntiva sirve para confirmar una información   V   F

18. En las oraciones coordinadas aparecen estructuras dependientes unas de otras   V   F

19. Un verbo ditransitivo no necesita ningún complemento   V   F

20. La concordancia genera variaciones flexionales   V   F

21. "Que" puede desempeñar un papel pronominal   V   F

22. Una muletilla es una oración aseverativa   V   F

23. La pronominalización es la sustitución de un SN o SAdj por un pronombre   V   F

24. El complemento predicativo pertenece a los verbos copulativos   V   F

25. "A" es una preposición   V   F

6.10. Prueba de autoevaluación

Para realizar esta actividad de revisión y autoevaluación de forma adecuada:

- no debe utilizar ningún tipo de material (apuntes, libro, etc.).
- no puede emplear más de quince minutos en la realización de los ejercicios.
- ebe seguir la escala de notas indicada a continuación.

Escala de notas:

    (A) 50-45 puntos   (B) 44-40 puntos   (C) 39-35 puntos   (D) 34-30 puntos   (F) 29-0 puntos

1. ¿Qué tipo de verbo es "pertenecer a"? (5 puntos)

_____

2. Señale el sujeto de las oraciones siguientes (10 puntos)

   a) La medalla de oro la ganó el atleta de California

_____

   b) ¿No me conoce esa chica que vive contigo?

_____

   c) Mis mejores amigos son Juan y Pedro

_____

   d) ¡Cómete la sopa!

_____

3. Señale los sintagmas adjetivales en las oraciones que aparecen abajo (20 puntos)

   a) El rojo es mi color favorito

b) Las niñas francesas llegaron tarde a la aburrida clase de inglés

_____

c) Me gusta pintarme las uñas con esmalte rojo

_____

d) Lourdes parece preocupada

_____

4. Realice los diagramas de árbol de las siguientes oraciones (15 puntos)

   a) Verónica conoce a mi novio

   b) Isabel fue ayer a la fiesta

   c) Mi hermana fue enfermera

Capítulo 7
Sintaxis II: Algunas clases de oraciones

7.1. Pronombres clíticos

Localice cada uno de los pronombres clíticos e indique su función en estas oraciones

EJEMPLO: Maria le pidió sal a la vecina
Pronombre(s) clítico(s): le
Función: Complemento indirecto

1. Nos encanta el chocolate

   Pronombre(s) clítico(s): _____

   Función: _____

2. ¡Cómanse ya el pescado!

   Pronombre(s) clítico(s): _____

   Función: _____

3. Te quiero contar una historia

   Pronombre(s) clítico(s): _____

   Función: _____

4. La esposa lo sabe todo

   Pronombre(s) clítico(s): _____

   Función: _____

5. Estoy lavándoles el pelo a los niños

   Pronombre(s) clítico(s): _____

   Función: _____

6. En este pueblo se baila una jota muy vistosa

   Pronombre(s) clítico(s): _____

   Función: _____

7. A Susana hay que ayudarla a resolver todos sus problemas

   Pronombre(s) clítico(s): _____

   Función: _____

8. Las medicinas se las das a las gatitas dos veces al día

   Pronombre(s) clítico(s): _____

   Función: _____

9. Los perros grandes me dan mucho miedo

   Pronombre(s) clítico(s): _____

   Función: _____

10. Carlos y Eva se dan un beso antes de marcharse al trabajo

    Pronombre(s) clítico(s): _____

    Función: _____

7.2. Oraciones simples (I): reflexivas, recíprocas y de sujeto nulo

Localice las oraciones reflexivas, recíprocas y de sujeto nulo del texto que aparece a continuación.

EJEMPLO: Silvia se peina
Oración reflexiva

[1] La barbacoa comenzó a las ocho y media. Había muchas personas invitadas a la reunión, entre ellas Jorge y yo. Cuando llegamos, María (la hermana de la anfitriona) y yo nos saludamos, pero no nos volvimos a hablar en toda la noche. Hace mucho tiempo que estamos distanciadas, aunque
[5] no sé muy bien por qué. De todos modos, la fiesta estaba siendo muy divertida hasta que, de repente, cuando yo me estaba sirviendo algo de beber y Jorge se estaba preparando la tercera hamburguesa, empezó a hacer un viento terrible. Unos minutos más tarde, comenzó a llover fuertemente y, por desgracia, hubo que suspender la fiesta: ¡qué pena!

1. Oraciones reflexivas:

_____

_____

2. Oraciones recíprocas:

_____

_____

3. Oraciones de sujeto nulo:

_____

_____

7.3. Oraciones simples (II): "Se" indeterminado

Transforme en construcciones pasivas con "se" las oraciones que aparecen a continuación.

EJEMPLO: Debes trabajar mucho para obtener un ascenso
Oración pasiva: Se debe trabajar mucho para obtener un ascenso

1. Ayer bañaron a las niñas por la tarde

Pasiva: _____

2. Todos hacemos lo que podemos para mantenernos en forma

Pasiva: _____

3. Alguien limpia las escaleras de nuestro bloque de apartamentos todos los días

Pasiva: _____

4. Uno dice muchas tonterías cuando está enfadado

Pasiva: _____

5. Habitualmente vigilaban a los prisioneros desde la torre

Pasiva: _____

7.4. Tipos de oraciones

Señale si las oraciones que aparecen abajo son simples o compuestas y diga de qué tipo son en cada caso, o sea:

- simples:, reflexivas, recíprocas, de sujeto nulo, de actor indeterminado, pasivas, de "se" indeterminado.
- compuestas: coordinadas, subordinadas (nominales, adjetivas o adverbiales)

EJEMPLO: Laura se ducha siempre por las noches
Tipo: Simple / Reflexiva

1. El señor con quien me viste ayer es mi jefe

   Tipo:

   _____

2. Ana y Pedro se visitan todos los días

   Tipo:

   _____

3. Ramón plancha e Inmaculada canta

   Tipo:

   _____

4. La exposición no fue criticada en los periódicos, sino en la televisión

   Tipo:

   _____

5. Hay una araña en el cuarto de baño y me da miedo entrar

   Tipo:

   _____

6. He comprado un regalo para que se lo des a Rosario

   Tipo:

   _____

7. En verano hay mucha niebla en la ciudad

   Tipo:

   _____

8. En este apartamento se oye todo a través de esas paredes tan finas

   Tipo:

   _____

9. No como pescado ni pruebo la carne

   Tipo:

   _____

10. Te llamaron por teléfono a las siete

    Tipo:

    _____

7.5. Oraciones complejas: coordinación y subordinación

En el texto siguiente, localice, dentro de las oraciones complejas, las distintas conjunciones coordinantes y subordinantes, o los pronombres relativos, asígnelos a uno de estos dos grupos y diga (en el caso de las conjunciones subordinantes) qué tipo de oración introducen.

EJEMPLO: Sé que me estás diciendo la verdad.
Conjunción subordinante: "Que" = introduce una oración subordinada nominal

[1] Anoche conocí a un catedrático que se pinta las uñas de los pies de rojo, cuando va por la noche a la discoteca con los amigos que conoció en la universidad. Es un individuo singular y tiene una personalidad muy divertida además. Aunque no pude hablar con él, he oído muchas historias acer [5] ca de sus locuras e incluso me han hablado de sus excentricidades en la vida cotidiana. Como no le falta el dinero, se concede todos los caprichos que desea, pero no es completamente feliz, a pesar de que todos lo piensen. Si este hombre respetable, al que todos conocen y admiran, pudiera, huiría a otro lugar o seguramente comenzaría una nueva vida.

1. Conjunciones coordinantes

Línea 1: _____

Línea 2: _____

Línea 3: _____

Línea 4: _____

Línea 5: _____

Línea 6: _____

Línea 7: _____

2. Conjunciones subordinantes o pronombres relativos

Línea 1: _____

Línea 2: _____

Línea 3: _____

Línea 4: _____

Línea 5: _____

Línea 6: _____

Línea 7: _____

7.6. Localización de oraciones subordinadas

Reescriba las oraciones subordinadas completas, indique de qué tipo son y cuál es la palabra a la que complementan en la oración.

EJEMPLO: Hoy no cocino porque Álvaro ha preparado la cena

Oración subordinada:

"Porque Álvaro ha preparado la cena"

Tipo: Adverbial

Complementa a: "Cocino"

1. Juan es un estudiante que va a obtener una buena nota.

Oración subordinada

_____

Tipo: _____

Complementa(n) a: _____

2. Los exámenes de español nos gustan porque las preguntas son fáciles.

Oración subordinada

_____

Tipo: _____

Complementa(n) a: _____

3. El novio de Marisa que cocina tan bien no vendrá a la fiesta.

Oración subordinada

_____

Tipo: _____

Complementa(n) a: _____

4. Sólo quiero que me quieras.

Oración subordinada

_____

Tipo: _____

Complementa(n) a: _____

5. Cuando el semestre se acabe, me iré de vacaciones.

Oración subordinada

_____

Tipo: _____

Complementa(n) a: _____

6. El chico que me gusta es muy peludo.

Oración subordinada

_____

Tipo: _____

Complementa(n) a: _____

7. Deseo que se depile las piernas.

Oración subordinada

_____

Tipo: _____

Complementa(n) a: _____

8. Él se depilará las piernas cuando yo me ponga un pendiente en el ombligo.

Oración subordinada

_____

Tipo: _____

Complementa(n) a: _____

9. No me haré ningún agujero en el ombligo porque eso duele mucho.

Oración subordinada

_____

Tipo: _____

Complementa(n) a: _____

10. Creo que voy a buscar a otro novio menos exigente.

Oración subordinada

_____

Tipo: _____

Complementa(n) a: _____

7.7. El subjuntivo

Justifique el uso del subjuntivo en las oraciones siguientes usando una de las razones de la lista.

Ejemplo: Dudo que tengas tiempo de terminar las tareas en una hora
Razón: b) Duda

Razones para el uso del subjuntivo:

_____ a) Indecisión

_____ b) Duda

_____ c) Mandato

_____ d) Expresión de sentimiento

_____ e) Momento hipotético (en el futuro)

_____ f) Cortesía

_____ g) Condición irreal

_____ h) Referente hipotético o desconocido

1. Los estudiantes que trabajen mucho obtendrán buenas notas

2. No es seguro que llueva mañana

3. En cuanto vuelvas de la oficina, comienzo a preparar la cena

4. Si naciera de nuevo, cambiaría muchas cosas en mi vida

5. Quiero que te comas la verdura

6. Quizás vaya mañana al teatro

7. Quisiera usar tu ordenador

8. La persona con quien me case tendrá que saber cocinar muy bien

9. Te digo que limpies tu habitación ahora mismo

10. Espero que seas muy feliz

7.8. Diagramas arbóreos

Dibuje un diagrama arbóreo para analizar cada una de las oraciones que siguen.

Ejemplo: Eva habla francés

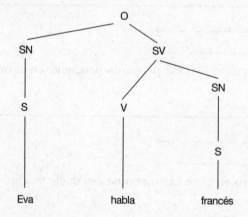

a) Creo que Gabriela no sabe que su hermano no preparó la fiesta

b) Pilar compró los regalos e Ignacio los envolvió con papel de seda

c) Como no tengo tiempo, no iré a la fiesta que recomendaron Pepe y Lucía

d) ¿Quieres que las niñas que no estuvieron en el cumpleaños de Lorena vayan con nosotras al cine?

e) Se miró en el espejo, pero no vio que hubiera huellas de lágrimas en su cara

7.9. ¿Verdadero o falso?

Señale con un círculo la respuesta correcta (verdadero: V - falso: F).

EJEMPLO: Lima no es la capital de México   (V)   F

1. Un clítico es un pronombre de sujeto	V	F
2. Las oraciones complejas tienen uno o más sintagmas verbales	V	F
3. Las oraciones pasivas no tienen sujeto	V	F
4. El subjuntivo sólo aparece en oraciones dependientes	V	F
5. Las oraciones yuxtapuestas están unidas por la conjunción "y"	V	F
6. Los clíticos aparecen tras las formas no personales de los verbos	V	F
7. El complemento indirecto puede reflejar el actor	V	F
8. Existen dos tipos de oraciones relativas	V	F
9. Las oraciones subordinadas no son independientes	V	F
10. En español el pronombre sujeto normalmente se elide	V	F
11. "Sino" puede ser una conjunción coordinante	V	F
12. La oración subordinada también se denomina "matriz"	V	F
13. "Por qué" es una conjunción subordinante	V	F
14. La reciprocidad implica dos sujetos	V	F
15. Las oraciones subordinadas relativas modifican al sustantivo	V	F
16. Existen tres tipos de oraciones subordinadas en español	V	F
17. El subjuntivo en la oración subordinada adjetiva se refierea algo o a alguien irreal o desconocido	V	F
18. Existen oraciones con un sujeto semánticamente vacío	V	F
19. Los pronombres reflexivos son clíticos	V	F
20. Los verbos referidos a fenómenos meteorológicos tienen sujeto nulo	V	F
21. Las oraciones adjetivas restrictivas ofrecen información complementaria	V	F
22. Las oraciones subordinadas pueden cumplir las funciones de un SN, SV, SAdj o SAdv	V	F
23. "Se" puede tener la función de complemento indirecto	V	F
24. Las oraciones subordinadas nominales complementan al nombre	V	F
25. El pronombre reflexivo y el sujeto tienen el mismo referente	V	F

7.10. Prueba de autoevaluación

Para realizar esta actividad de revisión y autoevaluación de forma adecuada:

- no debe utilizar ningún tipo de material (apuntes, libro, etc.).
- no puede emplear más de quince minutos en la realización de los ejercicios.
- debe seguir la escala de notas indicada a continuación.

Escala de notas:

    (A) 50-45 puntos   (B) 44-40 puntos   (C) 39-35 puntos   (D) 34-30 puntos   (F) 29-0 puntos

1. Transforme la siguiente oración agramatical en gramatical (5 puntos)

   *Juana esté me comiendo todas las fresas porque les guste mucho

---

2. Con las oraciones simples que aparecen a continuación, construya una oración compleja subordinada de tipo adjetiva explicativa y otra de tipo adjetiva restrictiva (10 puntos)

Oraciones simples:
Los chicos llegaron tarde a clase
Los chicos viven lejos

a) Explicativa

_____

b) Restrictiva

_____

3. Diga de qué tipo son las oraciones siguientes (15 puntos)

a) El edificio está siendo rediseñado por un arquitecto famoso

_____

b) Esta mañana ha habido cinco accidentes en la autopista

_____

c) Teresa se compró un vestido precioso

_____

d) Se estudia estupendamente en la biblioteca

_____

e) Hace mucho viento hoy

_____

4. Realice los diagramas arbóreos de las siguientes oraciones. (20 puntos)

a) Sólo quiero que se cepille los dientes

b) María trabaja en Berkeley pero vive en Oakland

c) El coche que compramos es negro

d) Si quieres, te preparo un café con leche ahora

Capítulo 8:
Variación temporal

8.1. Cambios vocálicos (I)

Nombre los procesos fonológicos vocálicos que se han producido en el paso del latín al español de estas palabras.

EJEMPLO: Festa > fiesta

Fenómeno: Diptongación "e" breve tónica

1. Foetidu > fétido

    Fenómeno (s): _____

2. Ursa > osa

    Fenómeno (s): _____

3. Ovu > huevo

    Fenómeno (s): _____

4. Scaena > escena

    Fenómeno (s): _____

5. Septe > siete

    Fenómeno (s): _____

6. Porcu > puerco

    Fenómeno (s): _____

7. Veritate > verdad

    Fenómeno (s): _____

8. Spectaculu > espectáculo

    Fenómeno (s): _____

9. Unda > onda

    Fenómeno (s): _____

10. Audire > oír

    Fenómeno (s): _____

8.2. Cambios vocálicos (II)

Tomando en cuenta los cambios indicados que han sucedido en la evolución de las vocales de las siguientes palabras latinas, encuentre la palabra correspondiente del español actual.

EJEMPLO: Diptongación de la vocal tónica

Festa > Fiesta

1. Diptongación de la vocal tónica y apertura o desaparición de la vocal final

    1.a. Tempu > _____

    1.b. Forti > _____

    1.c. Portu > _____

1.d. Dece > _____

1.e. Corpu > _____

2. Monoptongación y apertura o desaparición de la vocal final

    2.a. Tauru   _____

    2.b. Aetate   _____

    2.c. Paucu   _____

    2.d. Praecedere   _____

    2.e. Foecundu   _____

8.3. Cambios consonánticos (I)

Indique qué cambios han tenido lugar en las consonantes de cada una de estas palabras en su paso del latín al español.

EJEMPLO: Pratu > Prado

          Fenómeno(s): Sonorización de la consonante sorda intervocálica

  1. Alienu > Ajeno

    Fenómeno (s): _____

  2. Pro > Por

    Fenómeno (s): _____

  3. Annu > Año

    Fenómeno (s): _____

  4. Littera > Letra

    Fenómeno (s): _____

  5. Gaudiu > Gozo

    Fenómeno (s): _____

  6. Amicu > Amigo

    Fenómeno (s): _____

  7. Acucula > Aguja

    Fenómeno (s): _____

  8. Tegula > Teja

    Fenómeno (s): _____

  9. Cappa > Capa

    Fenómeno (s): _____

  10. Ferru > Hierro

    Fenómeno (s): _____

8.4. Cambios consonánticos (II)

Tomando en cuenta los cambios indicados que han sucedido en la evolución de las consonantes de las siguientes palabras latinas, encuentre la palabra correspondiente del español actual.

EJEMPLO: Palatalización
               Annu > Año

1. Sonorización

    1.a. Lacrima   > _____

    1.b. Catena   > _____

    1.c. Patre   > _____

    1.d. Acuta   > _____

    1.e. Formica   > _____

2. Palatalización

    2.a. Senior   > _____

    2.b. Lectu   > _____

    2.c. Plenu   > _____

    2.d. Multu   > _____

    2.e. Palatiu   > _____

3. Añadidura y eliminación de fonos

    3.a. Facere   > _____

    3.b. Stropha   > _____

    3.c. Regina   > _____

    3.d. Videre   > _____

    3.e. Fumu   > _____

8.5. Cambios morfológicos

En las oraciones siguientes, comente los cambios morfológicos que se hayan producido en el paso del latín al español.

EJEMPLO: Latín: "Poeta amatus est a regina"
               Español actual: "El poeta fue amado por la reina"
               Cambios: Cambio temporal determinado por la forma de "ser"

1. Latín: "Johannes est amabilior quam Ana"

  Español actual: "Juan es más amable que Ana"

  Cambios: _____

2. Latín: "Video insulam reginae"

  Español actual: "Veo la isla de la reina"

  Cambios: _____

3. Latín: "Nostri hostes vincebantur"

  Español actual: "Nuestros enemigos eran vencidos"

  Cambios: _____

4. Latín: "Mater filiam monebit"

  Español actual: "La madre aconsejará a la hija"

  Cambios: _____

5. Latín: "Pontes a militibus faciuntur"

   Español actual: "Los puentes son construidos por los soldados"

   Cambios: _____

8.6. Cambios sintácticos

En los siguientes versos del *Cantar del Mío Cid*, señale los procesos sintácticos destacables que separan la versión en castellano medieval de la del español estándar actual.

EJEMPLO: Versión medieval: "De los sos oios" (*Cid, 1*)

Versión actual: "De sus ojos"

Cambios: Uso del artículo con el posesivo

1. Versión medieval: "Estava los catando" (*Cid, 2*)

   Versión actual: "Los estaba mirando"

   Cambios: _____

2. Versión medieval: "Ya lo vee el Çid que del rey non avie graçia" (*Cid, 51*)

   Versión actual: "Ya lo ve el Cid que del rey no tenía gracia"

   Cambios: _____

3. Versión medieval: "E aquel que gela diesse" (*Cid, 27*)

   Versión actual: "Y aquel que se la diese"

   Cambios: _____

4. Versión medieval: "Exido es de Burgos" (*Cid, 102*)

   Versión actual: "Ha salido de Burgos"

   Cambios: _____

5. Versión medieval: "Enpennar gelo he"(*Cid, 93*)

   Versión actual: "Tengo que empeñárselo"

   Cambios: _____

8.7. Dobletes

Señale qué palabra de estos dobletes es patrimonial y cuál es culta o semiculta.

EJEMPLO: Denarium > dinero y denario

Término patrimonial: Denario

Término culto o semiculto: Dinero

1. Clave > llave y clave

   Término patrimonial: _____

   Término culto o semiculto: _____

2. Amplu > amplio y ancho

   Término patrimonial: _____

   Término culto o semiculto: _____

3. Pensare > pesar y pensar

   Término patrimonial: _____

   Término culto o semiculto: _____

4. Collocare > colocar y colgar

   Término patrimonial: _____

   Término culto o semiculto: _____

5. Afiliatu > afiliado y ahijado

Término patrimonial: _____

Término culto o semiculto: _____

6. Clamare > llamar y clamar

Término patrimonial: _____

Término culto o semiculto: _____

7. Macula > mácula y mancha

Término patrimonial: _____

Término culto o semiculto: _____

8. Integru > entero e íntegro

Término patrimonial: _____

Término culto o semiculto: _____

9. Strictu > estricto y estrecho

Término patrimonial: _____

Término culto o semiculto: _____

10. Materia > madera y materia

Término patrimonial: _____

Término culto o semiculto: _____

8.8. El origen del léxico español

Examine las palabras que aparecen a continuación y, comparándolas con los términos equivalentes en inglés cuando sea posible, clasifíquelas en el grupo que les corresponda. Si lo considera necesario y como último recurso, ayúdese de un buen diccionario con información sobre el origen de las palabras como el *Diccionario de la Lengua Española de la Real Academia Española* o el *Diccionario Crítico Etimológico* de J. Corominas y J.A. Pascual.

EJEMPLO: Término: Féretro

Grupo B1:   Cultismos y semicultismos

Grupo A (anglicismos, americanismos y calcos):
Patata, disco compacto, chocolate, talk show, champú, tabaco, rapear, tomate, fútbol, top model, maíz, café, balompié, club, cheque, cacahuete, reality show, cóndor, balonmano.

1. Anglicismos (préstamos del inglés):

_____

_____

2. Americanismos (préstamos de las lenguas indígenas de América):

_____

_____

3. Calcos:

_____

_____

Grupo B (cultismos y semicultismos, y arabismos):
tristísimo, azahar, posibilidad, albaricoque, óleo, aceite, alfombra, fortísimo, azúcar, pleno, paciencia, almohada, ánima, capítulo, almendra, falso, siglo, azar, zaguán.

1. Cultismos y semicultismos:

_____

_____

2. Arabismos (préstamos del árabe):

_____

_____

8.9. ¿Verdadero o falso?

Señale con un círculo la respuesta correcta (verdadero: V - falso: F).

EJEMPLO: La Habana es la capital de Cuba   (V)   F

1. La lingüística diacrónica estudia la historia de la lengua   (V)   F
2. No existen fuentes que nos permitan conocer las características del latín hablado   V   (F)
3. El árabe no influyó ni en la estructura del romance peninsular ni en su léxico   V   (F)
4. Las Glosas Emilianenses y Silenses son los primeros testimonios escritos en romano en la Península Ibérica   V   (F)
5. El uso latino del verbo "haber" como auxiliar se conserva en castellano   *pop. lat.*   V   (F)
6. Un cultismo es una palabra patrimonial   V   (F)
7. En latín había más fonemas vocálicos que en castellano   (V)   F
8. El fonema /f/ del latín se conservó en castellano   (V)   F
9. El orden de los elementos en la oración latina era más libre que en la española   (V)   F
10. Un calco es una palabra extranjera incorporada al idioma sin muchos cambios   V   (F)
11. El sistema flexional del latín ha desaparecido por completo en español   V   (F)
12. La f- latina se conserva intacta en la pronunciación del español actual   V   (F)
13. Las jarchas son los primeros poemas en romance   V   (F)
14. El Cantar del Mío Cid es un poema épico muy importante porque sirve como testimonio del castellano renacentista   V   (F)
15. En latín popular se perdió el contraste entre vocales largas y breves   (V)   F
16. Los sustantivos del castellano provienen del acusativo singular latino   (V)   F
17. El "Appendix Probi" es un manual para aprender la buena pronunciación del castellano   V   (F)
18. Las palabras que han sufrido sólo algunas transformaciones en su paso del latín al castellano se llaman semicultismos   (V)   F
19. En castellano siempre aparece una "e" paragógica en las palabras latinas que comienzan con "s" seguida de consonante   (V)   F
20. El sistema de casos del latín no se conservó en el romance hispánico   (V)   F
21. Las declinaciones eran las terminaciones de las palabras que señalaban su caso   (V)   F
22. Un arabismo es un préstamo del árabe   (V)   F
23. La monoptongación es un fenómeno que consiste en la desaparición de la vocal latina   V   (F)

24. El mozárabe era la lengua utilizada por los cristianos en territorios árabes V   F

25. La palabra "teléfono" es un préstamo híbrido   V   F

8.10. Prueba de autoevaluación

Para realizar esta actividad de revisión y autoevaluación de forma adecuada:

- no debe utilizar ningún tipo de material (apuntes, libro, etc.)
- no puede emplear más de quince minutos en la realización de los ejercicios
- debe seguir la escala de notas indicada a continuación.

Escala de notas:

    (A) 50–45 puntos   (B) 44–40 puntos   (C) 39–35 puntos   (D) 34–30 puntos   (F) 29–0 puntos

1. ¿Qué pueblo reinó en la Península Ibérica desde la caída del Imperio Romano hasta la llegada de los árabes? (5 puntos)

_____

_____

2. ¿Cómo se llaman los versos finales en mozárabe de los poemas escritos en árabe o hebreo? (5 puntos)

_____

_____

3. ¿En qué lengua se escribían los documentos oficiales en la Península Ibérica durante la Edad Media? (5 puntos)

_____

_____

4. Mencione tres fuentes que permitan reconstruir las características básicas del latín popular (15 puntos)

_____

_____

5. Mencione (utilizando el vocabulario adecuado) dos procesos en el paso del latín al español actual que hayan tenido lugar en las palabras que aparecen a continuación (20 puntos)

CAPPA(M) > capa / LUPU(M) > lobo / BONU(M) > bueno / FILIU(M) > hijo

_____

_____

Capítulo 9:
Variación regional

9.1. El español en España

Identifique en el mapa de España que aparece a continuación las regiones donde se hablan las siguientes modalidades del español:

1. Castellano (Norte y centro de la Península Ibérica)

2. Andaluz (Andalucía)

3. Extremeño (Extremadura)

4. Riojano (La Rioja)

5. Murciano (Murcia)

6. Canario (Islas Canarias)

9.2. El español en Hispanoamérica

Identifique en el mapa de Hispanoamérica las regiones donde se hablan las siguientes variantes del español:

1. Variedades mexicanas (México: Centro, Noroeste, Yucatán, Veracruz/Tabasco, Acapulco)
2. Variedades centroamericanas
3. Variedades caribeñas (Cuba, Puerto Rico, República Dominicana, región costeña de Venezuela, Colombia y Centroamérica)
4. Variedades andinas: Venezuela, Colombia, Ecuador, Perú, Bolivia y norte de Chile
5. Variedades chilenas (centro y sur de Chile)
6. Variedades rioplatenses: Argentina, Uruguay y Paraguay

9.3. Leísmo, loísmo y laísmo

Reescriba estas oraciones cambiando los casos de leísmo, loísmo y laísmo que encuentre en ellas. Utilice un diccionario para averiguar qué verbos necesitan un complemento directo y cuáles no.

EJEMPLO: Variedad dialectal: A Fernando le vi en el cine
Variedad estándar: A Fernando lo vi en el cine
Proceso(s): Leísmo

1. Versión dialectal: Hace dos meses que lo envié la carta a José y aún no ha contestado

   Versión estándar: _____

   Proceso(s): _____

2. Versión dialectal: ¿Le llevaste ya a Juanito al circo?

   Versión estándar: _____

   Proceso(s): _____

3. Versión dialectal: "La dije a Pilar que fuera a Valladolid

   Versión estándar: _____

   Proceso(s): _____

4. Versión dialectal: A Pedro uno de sus amigos lo pegó un bofetón en la cara y luego se escondió para que no le viéramos

   Versión estándar: _____

   Proceso(s): _____

5. Versión dialectal: ¿Qué la pasa a tu niña, no la gusta la comida?

   Versión estándar: _____

   Proceso(s): _____

6. Versión dialectal: Tengo que comprarlo un regalo a mi hermano

   Versión estándar: _____

   Proceso(s): _____

7. Versión dialectal: Las llamé por teléfono para preguntarlas por su examen

   Versión estándar: _____

   Proceso(s): _____

8. Versión dialectal: A José le noté triste porque su novia le había abandonado

   Versión estándar: _____

   Proceso(s): _____

9. Versión dialectal: La pedí que me hiciera un favor y ella no quiso

   Versión estándar: _____

   Proceso(s): _____

10. Versión dialectal: A mis amigos los encanta la playa, pero nunca les veo allí

    Versión estándar: _____

    Proceso(s): _____

9.4. Variantes dialectales

Las palabras y expresiones que aparecen a continuación reflejan rasgos del español dialectal de España e Hispanoamérica. Intente encontrar la forma estándar correspondiente y mencione qué procesos pueden explicar el cambio.

EJEMPLO: Versión dialectal: "¿Qué te pasa, mi arma?"
Versión estándar: "¿Qué te pasa, mi alma?"
Proceso(s): Rotacismo

1. Versión dialectal: "Me he comprao un vestío colorao"

   Versión estándar: _____

   Proceso(s): _____

2. Versión dialectal: "María tiene una infesión"

   Versión estándar: _____

   Proceso(s): _____

3. Versión dialectal: "¿Qué tú sabe, mi amolsito?"

   Versión estándar: _____

   Proceso(s): _____

4. Versión dialectal: "No sé si Isabelita quedrá vení o si habrá volvío ya a su casa"

   Versión estándar: _____

   Proceso(s): _____

5. Versión dialectal: "Lo niño no saben hasé ná"

   Versión estándar: _____

   Proceso(s): _____

6. Versión dialectal: "¡Qué ohoh tan bonitoh tieneh!"

   Versión estándar: _____

   Proceso(s): _____

7. Versión dialectal: "Mi marío eh mu salao"

   Versión estándar: _____

   Proceso(s): _____

8. Versión dialectal: "Voy a complá la leche pal niño"

   Versión estándar: _____

   Proceso(s): _____

9. Versión dialectal: "La a güela ha estao en er mercao"

   Versión estándar: _____

   Proceso(s): _____

10. Versión dialectal: "¿Qué paza, niña, zubeh al coche o no?"

   Versión estándar: _____

   Proceso(s): _____

9.5. El judeoespañol

Reescriba en español normativo este texto en judeoespañol.

Ejemplo: Texto en judeoespañol:
"En efekto, malgrado ke el djudeo-espanyol de oy(...)"
Reescritura en español normativo:
"En efecto, aunque el judeoespañol de hoy (...)"

Texto en judeoespañol:

En efekto, malgrado ke el djudeo-espanyol de oy no es el ke era avlado por las primeras jenerasiones de desendientes de los ke fueron ekspulsados de Espanya, malgrao ke desde entonses esta lengua se troko bastante, kon la inkluzion de un grande numero de palavras turkas, ebreas i fransezas, malgrado esto i otros faktores mas, esta es ainda klaramente una lengua espanyola ke puede ser entendida bastante fasilmente por los ispano-avlantes de otros paizes i otras kulturas. La supervivensia del djudeo/espanyol es un fenomeno ke desha intrigados i maraviyados a los afisionados del ispanizmo en las diversas partes del mundo. Ainda mas kurioza i interesante es la supervivensia no solo de la lengua, sino ke de toda una kultura i mizmo de una mentalidad espanyola, al seno de los sefaradis, los desendientes de los exilados.

Komo puede eksplikarse este fenomeno, del apegamiento de esta komunida a la lengua i kultura del paiz ke la avia tan kruelmente tratado? ¿I a ke era devido el refuzo obstinado de los sefaradis de intergrarsen en la kultura del paiz ke los avia resivido tan jenerozamente, dandoles la posibilidad de empesar en una mueva vida i prosperar en sus aktividades ekonomikas kaje sin ninguna restriksion?

Para responder a estas preguntas kale tomar en kuento siertos faktores bazikos. En primer lugar, ke para los djudios ekspulsados de Espanya, el espanyol era sus lengua materna, la lengua ke eyos avlavan, meldavan i entendian mijor ke kualkera otra, inkluzo el ebreo. Ademas, munchos de los ekspulsados eran parte de la elite kultural i intelektual de Espanya. Entre eyos avia eskritores i poetas, savios i maestros de eskola, medikos, kartografos, astronomos etc., ke tenian un ekselente konosimiento del espanyol de akeya epoka i ke eskrivieron numerozos livros, antes i despues de la ekspulsion.

Otro faktor ke kontribuyo a la kontinuidad sentenaria del djudeo-espanol, fue ke, malgrado sus aleshamiento de Espanya, los sefaradis kontinuaron a estar al koriente, durante munchos anyos, de los akontesimientos en dicho paiz i de los dezvelopamientos en el kampo de la kreasion literaria. Esto ultimo, grasias a los marranos ke venian a unirse kon eyos, bastante regolarmente i en grupos mas o menos grandes, sigun las presiones exersadas sovre eyos por la inkizision en la Peninsula.

("El djudeo-español ainda bivo?..." Por Moshe Shaul, ABC Sábado cultural. Madrid, 10 de Agosto de 1985. pág. 10)

Reescritura en español normativo:

_____

_____

_____

_____

_____

_____

_____

_____

_____

_____

_____

_____

_____

_____

_____

_____

_____

_____

_____

_____

_____

_____

_____

_____

_____

_____

_____

_____

_____

9.6. Papiamento

Reescriba en español normativo el texto siguiente, que aparece escrito en papiamento.

EJEMPLO: Texto en papiamento:
"Gobernador señor Fredis Refunjol a duna e siguiente discurso (...)"
Reescritura en español normativo:
"El señor gobernador Fredis Refunjol dio el siguiente discurso (...)"

Texto en papiamento:

Gobernador señor Fredis Refunjol a duna e siguiente discurso, durante e sesion extraordinario di diamars mainta, den cual el a proclama publicamente su aceptacion di e cargo importante aki.

"Awor cu mi a caba di asumi e funcion di Gobernador di Aruba, cual ta un honor grandi cu ta toca mi, lo mi kier a haci uso di e oportunidad pa dirigi mi mes na Parlamento, y por medio di Parlamento na henter pueblo di Aruba. Mi kier confirma y duna e siguranza cu mi lo eherce mi funcion segun e mas elevado normanan di etica constitucional, cu respet pa ley y tur conciudadano. Mi meta ta pa ser un digno Gobernador, sin distincion algun di raza, credo o color."

(Diario Online – "E Matutino di Aruba". 13 de Mayo de 2004: http://www.diarioaruba.com/)

Reescritura en español normativo:

_____

_____

_____

_____

_____

_____

_____

_____

_____

_____

_____

_____

9.7. Chabacano

Reescriba el siguiente fragmento del Padrenuestro chabacano en español normativo y señale los rasgos (palabras) españoles del texto.

EJEMPLO: Texto en chabacano:
"Tata diamon (...)"
Reescritura en español normativo:
"Padre Nuestro (...)"
Rasgos españoles:
Ninguno

Texto en chabacano:

Tata diamon talli na cielo, bendito el di Uste nombre.

Ace el di Uste voluntad aqui na tierra, igual como alli na cielo.

Dale kanamon el pan para cada dia.

Perdona el diamon maga culpa, como ta perdona kame con aquellos

tiene culpa kanamon. No deja que ay cae kame na tentacion

Y libra kanamon del mal.

Reescritura en español normativo:

_____

_____

_____

_____

_____

Rasgos españoles:

Línea 1: _____

Línea 2: _____

Línea 3: _____

Línea 4: _____

Línea 5: _____

Línea 6: _____

9.8. Cada oveja con su pareja

Enlace cada uno de los elementos de la columna de la izquierda (con números) con su correspondiente pareja de la columna de la derecha (con letras).

_____ 1. Fronterizo   a. Lengua común que une ciertas variedades lingüísticas

_____ 2. Habla criolla   b. Macrodialecto

_____ 3. Judeoespañol   c. Lengua indígena del Paraguay

_____ 4. Extremeño   d. Lengua extinta de Las Antillas

_____ 5. Español Canario   e. Pidgin de segunda generación

_____ 6. Chabacano   f. Conjunto de dialectos portugueses del Uruguay

_____ 7. Español Caribeño   g. Sefardí

_____ 8. Guaraní   h. Habla de las provincias españolas de Cáceres y Badajoz

_____ 9. Koiné   i. Variante lingüística de uno de los archipiélagos españoles

_____10. Taíno   j. Lengua criolla de Filipinas

9.9. ¿Verdadero o falso?

Señale con un círculo la respuesta correcta (verdadero: V - falso: F).

EJEMPLO: Quito es la capital de Ecuador   Ⓥ   F

1. La dialectología se concentra en la variación regional de la lengua   V   F

2. El número de hablantes de judeoespañol está aumentando rápidamente en los últimos años   V   F

3. El hablante rotacista no pronuncia la consonante vibrante múltiple   V   F

4. Los dialectos regionales son las variedades diatópicas de la lengua   V   F

5. El tagalo es una lengua hablada en Filipinas   V   F

6. El laísmo es el uso del pronombre "la" para objeto directo e indirecto   V   F

7. El judeoespañol es una lengua criolla   V   F

8. En la pronunciación yeísta, "halla" y "haya" son homónimos   V   F

9. La modalidad meridional del español de España se caracteriza por la articulación apicoalveolar de los sonidos sibilantes   V   F

10. El papiamento es un fenómeno fonético típico del Caribe   V   F

11. Los dialectos portugueses de Uruguay se basan en el español popular   V   F

12. El lleísmo es un fenómeno típico en el habla del sur de España   V   F

13. En andaluz se puede llegar a aspirar la /f/ inicial latina   V   F

14. Un hablante zheísta presenta un rehilamiento en la articulación de la consonante fricativa palatal sonora   V   F

15. La /s/ se articula de forma aspirada en posición inicial de sílaba   V   F

16. El voseo es un fenómeno fonético muy habitual en Argentina   V   F

17. En la República Dominicana la vibrante múltiple se velariza   V   F

18. En el léxico general del español existen africanismos   V   F

19. La consonante africada palatal sorda tiende a desoclusivizarse en andaluz   V   F

20. La velarización de la nasal final es habitual en Argentina   V   F

21. En Guinea Ecuatorial se habla "pichinglis"   V   F

22. El ceceo es la distinción entre [s] y [θ]   V   F

23. El español americano usa palabras consideradas arcaicas en el español de España   V   F

24. El fonema /x/ se articula como [h] en el sur de España   V   F

25. El chabacano es la lengua oficial en Filipinas   V   F

9.10. Prueba de autoevaluación

Para realizar esta actividad de revisión y autoevaluación de forma adecuada: no debe utilizar ningún tipo de material (apuntes, libro, etc.).

- no puede emplear más de quince minutos en la realización de los ejercicios.
- debe seguir la escala de notas indicada a continuación.

Escala de notas:

    (A) 50–45 puntos   (B) 44–40 puntos   (C) 39–35 puntos   (D) 34–30 puntos   (F) 29–0 puntos

1. ¿Cómo se llaman las lenguas criollas de influencia española habladas en las Antillas Holandesas y Colombia respectivamente? (10 puntos)

    _____

    _____

2. ¿En qué lugar de África es el español lengua cooficial? (5 puntos)

    _____

    _____

3. ¿Con qué otro nombre se denomina habitualmente al "ladino"? (5 puntos)

    _____

    _____

4. Indique dos regiones (una de España y otra de América) cuya modalidad del español se caracterice por ser lambdacista y rotacista. (10 puntos)

_____

_____

5. Nombre cinco dialectos o modalidades del español actual y diga dónde se ubican (20 puntos)

_____

_____

Capítulo 10
Variación social

10.1. Rasgos sociolingüísticos

A continuación aparecen dos listas: la primera (con números), de rasgos sociolingüísticos y la segunda (con letras), de variables sociales y geográficas. Asocie cada elemento de la primera lista con su variable de la segunda.

EJEMPLO: Rasgo: (1) Loísmo
Variable: (a) Rasgo estigmatizado y propio del habla popular

Rasgos:	*Variables:*
_____ 1. Zheísmo con alófono sordo	(a) General en todos los países hispanohablantes
_____ 2. Lleísmo	(b) Común entre todas las clases sociales paraguayas
_____ 3. Rotacismo y lambdacismo	(c) Estigmatizado en la lengua culta hablada de España
_____ 4. Yeísmo	(d) Propio del español de España
_____ 5. Voseo	(e) Difundido entre mujeres argentinas menores de treinta años
_____ 6. Seseo	(f) Propio del español de Hispanoamérica, Andalucía y Canarias
_____ 7. Uso del pronombre "vosotros"	(g) Frecuente en el Caribe entre hablantes de nivel socioeconómico bajo
_____ 8. Laísmo	(h) Usado por hablantes mayores de pueblos del centro y norte de España

10.2. El habla rural puertorriqueña

Reescriba en español normativo el siguiente fragmento de la obra de René Marqués "La Carreta".

EJEMPLO: Habla rural: "No seah animal."
Español normativo: "No seas animal."

Texto en habla rural:

LUIS. — No seah animal. Vah a dir pa que aprendah a ganal máh chavoh. El bruto siempre se quea abajo..

CHAGUITO. — El que nase bruto sí. Pero yo sé bahtante...

JUANITA. — Sí, con tu tercer grado...

CHAGUITO. — Tú cállate. Lah mujereh jablan cuando lah gallinah mean.

DON CHAGO. — (*Riendo.*) Ay, ay. Si yo jubiera podío desile eso a mi difunta.

Juanita. — Eso eh. Ríale lah grasiah al dehcarao ehte.

(...)

DON CHAGO. — Conque el gallo se había desaparesío, ¿eh?

CHAGUITO. — ¡Ay, bendito viejo, no diga ná! Míe que si dise argo Luis me vende er gallo. Ya oyó lo que dijo. Miguel lo ehtá ehperando.

DON CHAGO.   — Caramba, le dan treh buenoh pesoh por el condenao gallo. ¿Tú piensah
              sacale máh en er pueblo?

(René Marqués, *La carreta*, págs. 30–31)

Reescritura en español normativo:

_____

_____

_____

_____

_____

_____

_____

_____

_____

_____

_____

_____

10.3. Fórmulas de tratamiento

Escoja el pronombre y la fórmula de tratamiento adecuados en cada una de las situaciones comunicativas que aparecen a continuación. Sírvase de las figuras 10.2 y 10.3. del manual si lo considera necesario.

Situación comunicativa: En México, un joven se dirige a sus amigos Francisco y Guadalupe

Pronombre de tratamiento: "Ustedes"

Fórmula de tratamiento: Nombre de pila/Diminutivo: "Pancho" / "Lupita"

1. Situación comunicativa: En México un cliente habla con su abogada, Ana Moreno

   Pronombre de tratamiento: _____

   Fórmula de tratamiento: _____

2. Situación comunicativa: En Andalucía, un joven habla con dos amigas, Pilar y Francisca

   Pronombre de tratamiento: _____

   Fórmula de tratamiento: _____

3. Situación comunicativa: En Nicaragua, un empresario habla con su empleado, Luis Ruiz

   Pronombre de tratamiento: _____

   Fórmula de tratamiento: _____

4. Situación comunicativa: En Madrid, una joven habla con sus amigas Dolores y Eva

   Pronombre de tratamiento: _____

   Fórmula de tratamiento: _____

5. Situación comunicativa: En México, un estudiante universitario se dirige a su profesor Felipe Hernández

    Pronombre de tratamiento: _____

    Fórmula de tratamiento: _____

10.4. El voseo

Señale en el mapa siguiente los países en los que se utiliza el pronombre "vos" para referirse a la segunda persona, ya sea exclusivamente o junto a "tú".

Países con voseo:

Centroamérica (Panamá, Costa Rica, Nicaragua, El Salvador, Honduras y Guatemala), Venezuela, Colombia, Ecuador, Bolivia, Paraguay, Argentina, Chile y Uruguay.

10.5. Argot

Reescriba en español estándar las siguientes oraciones, propias de distintos tipos de argot. Si hace falta, consulte un diccionario o el Internet.

Ejemplo: Versión en argot juvenil: "¡Ana, tía, de qué vas, esa peli es una pasada!"

        Versión estándar: "¡Ana, no tienes razón, esa película es excelente!"

1. Versión en argot médico: "El neonato manifestaba encefalopatía, hipotermia e hipoxia"

    Versión estándar: _____

2. Versión en argot lingüístico: "La neutralización de la oposición fonológica /s/ y /θ/ es general en Hispanoamérica"

    Versión estándar: _____

3. Versión en argot juvenil: "Óscar está colgado por Sagrario, pero ella pasa mucho"

Versión estándar: _____

4. Versión en lunfardo: "Al laburante le aliviaron un par de lucas"

Versión estándar: _____

5. Versión en argot : " Primero tienes que escalfar el tomate y luego lo cortas en juliana"

Versión estándar: _____

10.6. Lunfardo

Encuentre para cada palabra en lunfardo (lista con letras) el término equivalente en español estándar (lista con números).

Ejemplo: Lunfardo: (a) "Feca" / (b) "Vesre"

Español estándar: (1) "Revés" / (2) "Café"

Solución: a.2. / b.1

Términos en lunfardo:	*Términos en español estándar:*
_____ (a) javie	(1) comer
_____ (b) cuore	(2) cama
_____ (c) coco	(3) robo
_____ (d) ispa	(4) país
_____ (e) morfilar	(5) abandonado
_____ (f) jaife	(6) pereza
_____ (g) broncudo	(7) corazón
_____ (h) amurado	(8) enfadado
_____ (i) cana	(9) estupendo
_____ (j) fiaca	(10) policía
_____ (k) mamúa	(11) abajo
_____ (l) afano	(12) cabeza
_____ (m) ajoba	(13) vieja
_____ (n) catrera	(14) elegante
_____ (ñ) lorca	(15) borrachera
_____ (o) macanudo.	(16) calor

10.7. Palabras tabú

Localice las palabras tabú que aparecen en las oraciones siguientes, diga de qué tipo son (tabú sexual, religioso, etc.) y reescriba la oración eliminando estas palabras.

Ejemplo: "Irene se ha puesto unos implantes de silicona en las tetas"

Palabra(s) tabú: "tetas"

Tipo: sexual

Versión cuidada: "Irene se ha puesto unos implantes de silicona en los pechos"

1. "Se pegó una hostia con el coche de mucho cuidado"

Palabra(s) tabú: _____

Tipo: _____

Versión cuidada: _____

2. "Está cayendo una nevada que no va a ir ni dios a clase esta tarde"

Palabra(s) tabú: _____

Tipo: _____

Versión cuidada: _____

3. "¡Qué cabrón eres, mira que irte del restaurante sin pagar...!"

Palabra(s) tabú: _____

Tipo: _____

Versión cuidada: _____

4. "¿Qué coño quieres ahora?"

Palabra(s) tabú: _____

Tipo: _____

Versión cuidada: _____

5. "Javier le dio un hostión en el culo a la vecina del cuarto"

Palabra(s) tabú: _____

Tipo: _____

Versión cuidada: _____

10.8. Cocoliche

Reescriba en español normativo el fragmento de la obra de Armando Discepolo, "Stefano", que aparece abajo.

EJEMPLO: Cocoliche: "Nada. E la caída de este peso cada ve má tremendo é la muerte"

Español normativo: "Nada. Y la caída de este peso cada vez más tremendo es la muerte"

Texto en cocoliche:

STÉFANO.   — Nada. E la caída de este peso cada ve má tremendo é la muerte. Sémpliche. Lo único que te puede hacer descansar es l'ideale... el pensamiento... Pero l'ideale es una ilusión e ninguno l'ha alcanzado. Ninguno. No hay a la historia, papá, un solo hombre, por más grande que sea, que haya alcanzado l'ideale. Al contrario: cuando más alto va meno ve. Porque, a la fin fine, l'ideale es el castigo di Dío al orguyo humano; mejor dicho: l'ideale es el fracaso del hombre.

ALFONSO.   — Entonce, el hombre que lo abusca, este ideale ca no s'encuentra, tiene que dejare todo como está.

STÉFANO.   — ¿Ve cómo me entiende, papá?

ALFONSO.   — Pe desgracia mía. Ahora me sale co eso: "La vita es una ilusione.".. ¡No! No es una ilusione. Es una ilusione para lo loco. El hombre puede ser feliche materialmente. Yo era feliche. Nosotro éramo feliche. Teníamo todo. No faltaba nada. Tierra, familia, e religione. La tierra... Chiquita, nu pañuelito... Pero que daba l'alegría a la mañana, el trabajo al sole e la pache a la noche. La tierra... la tierra co la viña, la oliva e la pumarola no es una ilusione, no engaña, ¡e lo único que no engaña! E me l'hiciste vender para hacerne correr a todo atrás de la ilusione, atrás del ideale que, ahora no s'alcanza, atrás de la mareposa. M'engañaste. [..] E m'engañaste otra ve: "Papá, vamo a ser rico. Voy a escribir una ópera mundiale. Vamo a poder comprar el pópolo. Por cada metro que tenimo vamo a tener una cuadra..." E yo, checato, te creí.

(Armando Discepolo, *Stéfano,* p. 588-589.)

Reescritura en español normativo:

_____

_____

_____

_____

_____

_____

_____

_____

_____

_____

_____

_____

_____

_____

_____

_____

_____

_____

_____

10.9. ¿Verdadero o falso?

Señale con un círculo la respuesta correcta (verdadero: V - falso: F).

EJEMPLO: Caracas no es la capital de Venezuela   V   Ⓕ

1. La sociolingüística estudia la variación social de la lengua   V   F
2. Los tabús lingüísticos pueden relacionarse con la función factitiva del lenguaje   V   F
3. El cocoliche es un habla híbrida del Perú   V   F
4. Los miembros de una comunidad de habla comparten una lengua   V   F
5. El lambdacismo suele ser común entre hablantes urbanos   V   F
6. "Vosotras" es un pronombre de tratamiento   V   F

7. Algunas variaciones lingüísticas se dan sólo o más frecuentemente entre las mujeres que entre los hombres   V   F

8. Un individuo bilingüe total normalmente usa el idioma dominante en su vida profesional   V   F

9. Las palabras tabú son las mismas en todos los países que comparten una lengua   V   F

10. En los tangos hay términos del lunfardo   V   F

11. Tutearse es un signo de familiaridad entre los hablantes   V   F

12. Gracias al fenómeno denominado "degradación semántica" una palabra tabú se puede incorporar al habla corriente   V   F

13. La formación académica del individuo se refleja en su uso del idioma   V   F

14. En una situación diglósica, las dos modalidades lingüísticas siempre se usan indistintamente en todas las situaciones   V   F

15. Ciertas variantes de la lengua son intrínsecamente malas   V   F

16. El pronombre "usted" puede servir como muestra de subordinación   V   F

17. El vesre es un proceso que consiste en acortar las sílabas   V   F

18. Paraguay es un ejemplo de diglosia   V   F

19. Los eufemismos son términos políticamente correctos   V   F

20. El bilingüismo total es un fenómeno relativamente común   V   F

21. El argot es la lengua coloquial de una comunidad que comparte una profesión o actividad   V   F

22. El loísmo es aceptable tanto en la lengua culta como popular   V   F

23. Las blasfemias son injurias contra Dios   V   F

24. La edad no es un elemento causante de variación lingüística   V   F

25. Los sociolectos son dialectos sociales   V   F

10.10. Prueba de autoevaluación

Para realizar esta actividad de revisión y autoevaluación de forma adecuada:

- no debe utilizar ningún tipo de material (apuntes, libro, etc.).
- no puede emplear más de quince minutos en la realización de los ejercicios.
- debe seguir la escala de notas indicada a continuación.

Escala de notas:

    (A) 50-45 puntos   (B) 44-40 puntos   (C) 39-35 puntos   (D) 34-30 puntos   (F) 29-0 puntos

1. ¿Con qué otra palabra se conoce al "argot"? (5 puntos)

_____

_____

2. ¿Cómo se denomina el uso de los pronombres "tú/vosotros, -as" en el diálogo? (5 puntos)

_____

_____

3. ¿Qué fenómeno explica el uso de la palabra "bacalado" en lugar de "bacalao"? (10 puntos)

_____

_____

4. ¿Cómo se llama a las palabras empleadas en lengua cuidada en lugar de términos malsonantes u ofensivos? (10 puntos)

_____

_____

5. Proporcione dos ejemplos de hablas argentinas. (20 puntos)

_____

_____

Capítulo 11
Variación contextual

11.1. Elementos del acto de habla

Indique los distintos elementos que conforman el contexto comunicativo en cada uno de los diálogos que aparecen a continuación.

EJEMPLO: – Buenos días, señor profesor, ¿cómo está?
   – Bien, gracias. ¿Y usted?
   Ambiente: Espacio público, académico (universidad)
   Participantes: Profesor y estudiante
   Género: Saludo
   Clave: Formal, distante
   Propósito: Interaccional

Diálogo 1:

– Juana, ¿me pones media docena de huevos y un litro de leche?

– Aquí tienes. ¿Algo más? ¿Quieres unos dulces para la niña?

– No, déjalo, que todavía tengo en casa.

Ambiente: _____

Participantes: _____

Género: _____

Clave: _____

Propósito: _____

Diálogo 2:

– Buenos días, señores. Hoy vamos a comenzar con el análisis del poema de Miguel Hernández de la página 95. Por favor, abran el libro.

Ambiente: _____

Participantes: _____

Género: _____

Clave: _____

Propósito: _____

Diálogo 3:

– Adiós, mi amor, me voy ya a la oficina.

– Adiós, Maribel. Cariño, no trabajes mucho hoy, ¿eh?

Ambiente: _____

Participantes: _____

Género: _____

Clave: _____

Propósito: _____

Diálogo 4:

– Alicia, ¿ha llegado ya la señora Domínguez?

– Sí, doctor. La he hecho pasar a la sala de reconocimientos.

Ambiente: _____

Participantes: _____

Género: _____

Clave: _____

Propósito: _____

Diálogo 5:

– Bueno, señor Pérez, ¿qué piensa usted que lo hace el candidato ideal para cubrir la vacante en mi empresa?

– Ante todo, señor director, mi experiencia laboral. Haber trabajado cinco años como representante de ventas me será de suma utilidad a la hora de desempeñar el trabajo...

Ambiente: _____

Participantes: _____

Género: _____

Clave: _____

Propósito: _____

11.2. Registros

Diga a qué nivel de formalidad o registro (protocolario, formal, consultivo, familiar o íntimo) pertenece cada una de estas oraciones.

EJEMPLOS: "¡Cielito, cuánto te quiero!"

Registro: Íntimo

1. "Señoras y señores, hoy abrimos nuestro noticiero con la última información sobre los incendios en Alaska"

   Registro: _____

2. "Prohibido entrar sin casco a la obra"

   Registro: _____

3. "Camarero, ¿me pone un café y unos churros?"

   Registro: _____

4. "¿Mami, me recoges tú hoy del cole o irá papá?"

   Registro: _____

5. "Se ruega que no arrojen basura al suelo"

   Registro: _____

6. "Buenos días, me gustaría pedir hora para teñirme el pelo"

   Registro: _____

7. "Resolución del 14 de junio de 2004 del Ministerio de Educación y Ciencia, por la que se convocan becas de investigación para jóvenes lingüistas"

   Registro: _____

8. "Todos los empleados deben lavarse las manos antes de volver al trabajo"

   Registro: _____

9. "¡Oye, a ver si le quitas un poco de voz a la tele, que me estás dejando sordo!"

   Registro: _____

10. "Señores, el primer punto a tratar en esta reunión será el de los recortes de gastos publicitarios"

    Registro: _____

11.3. "Por la cara": Variación de significado según el contexto

Señale en cada uno de los diálogos siguientes el miembro de la conversación que "pierde la cara" (es decir, que ve en peligro su autoestima y/o prestigio personal) y la causa por la que esto se produce.

EJEMPLO: En la calle:

    Amigo 1: -Hombre, ya estás aquí...

    Amigo 2: -¿Hace mucho que me esperas?

    Amigo 1: -Pues, teniendo en cuenta que quedamos a las siete y son las ocho menos cuarto, sí, se puede decir que hace mucho que espero...

    ¿Quién "pierde la cara"?: El amigo 2

    ¿Por qué?: Porque se retrasa, pero no lo reconoce ni se disculpa, y además el amigo 1 se lo recrimina.

Diálogo 1

En clase:

Estudiante: – A ver, Pedro, entrégueme el trabajo antes de irse.

Profesora: – Ah, pero profesora, ¿no era para mañana?

    ¿Quién "pierde la cara"?: _____

    ¿Por qué?: _____

Diálogo 2

En una oficina:

Secretaria 1: – Ay, Rosita, yo sé que no me lo quieres decir, pero... ¿a que estás embarazada? Esa barriguita está creciendo mucho últimamente...

Secretaria 2: – ¿Cómo? Por supuesto que no estoy embarazada, pero qué dices...

    ¿Quién "pierde la cara"?: _____

    ¿Por qué?: _____

Diálogo 3

En una cena formal:

Empleado: – Oh, creo que preferiría beber un refresco de cola, señora Ochoa.

Esposa del jefe: – ¿Con el aperitivo de caviar ruso? ¿Está seguro?

    ¿Quién "pierde la cara"?: _____

    ¿Por qué?: _____

Diálogo 4

En una tienda:

Amiga 1: – ¡Marisol, cuánto tiempo sin verte!

Amiga 2: – Hola, Bea, es verdad... Mira ven, que te presento a Luis, mi...

Amiga 1: – Ay, no hace falta que me digas: es tu padre, tenéis los dos la misma mirada...

Amiga 2: – ¿Mi padre? Pues no, es mi nuevo novio...

    ¿Quién "pierde la cara"?: _____

    ¿Por qué?: _____

Diálogo 5:

Una pareja de novios en un bar:

Chica: – Hola, Miguel... Ya veo que hoy estás acompañado. ¡Nos vemos mañana como quedamos!

Novia: – Oye, Miguel, ¿pero quién es ésa?

Novio: – Ay, no tengo ni idea. Me habrá confundido con otro...

¿Quién "pierde la cara"?: _____

¿Por qué?: _____

11.4. Clases de actos de habla

Diga qué tipo de acto de habla realizan las oraciones que aparecen abajo: proporcionar información (informativo), plantear una pregunta (interrogativo), realizar un mandato o ruego (directivo) o ejecutar la acción del verbo (factitivos, comprometimientos)

Ejemplo: "Yo los declaro marido y mujer"

Tipo de acto de habla: Ejecuta la acción del verbo (factitivo)

1. "Este fin de semana se espera una bajada en las temperaturas"

Tipo de acto de habla: _____

2. "¿Por qué no le compras unas flores a Pepa? Hoy es su cumpleaños"

Tipo de acto de habla: _____

3. "¿Está Elena enferma?"

Tipo de acto de habla: _____

4. "Me dijo que no sabía a qué hora cierran los bancos"

Tipo de acto de habla: _____

5. "Señor Hernández, su conducta en la oficina me resulta insoportable y , por ello, me veo en la necesidad de despedirlo"

Tipo de acto de habla: _____

6. ¿Tienes hora?

Tipo de acto de habla: _____

7. "Te digo que ordenes tu cuarto ahora mismo"

Tipo de acto de habla: _____

8. ¿Sabes que me casé en secreto en Las Vegas hace dos semanas?

Tipo de acto de habla: _____

9. "Ven a verme cuanto antes, tengo que hablar contigo"

Tipo de acto de habla: _____

10. "Te juro que no le voy a contar a nadie nada de lo que me has dicho"

Tipo de acto de habla: _____

11.5. Máximas conversacionales (I)

Todos los diálogos que aparecen abajo violan una o varias de las normas conversacionales. Descubra cuál es la máxima que no se respeta en cada caso.

Ejemplo: Amiga 1: – "¡Laura, cuánto tiempo sin verte! ¿Qué tal lo pasaste en la luna de miel? ¿Hizo buen tiempo? ¿Era bonito el hotel? ¿Compraste muchos regalos?"

Amiga 2: – "Sí"

Máxima no respetada: Cantidad: información insuficiente

Diálogo 1

En un ascensor:

Vecino 1: – "Oye, Pepe, anoche te oí discutir con tu mujer. ¿Estás bien?"

Vecino 2: – "Hoy hace un tiempo magnífico, ¿no te parece?"

Máxima no respetada: _____

Diálogo 2

En un banco:

Cliente: – "Señorita, tengo un problema con este cheque que me han devuelto sin razón"

Cajero: – "Sí, pasa mucho. Pues mire, vaya a la casilla número 7, donde le darán unos papeles para rellenar y le pedirán otros de la casilla número 5. Luego tendrá que entregar algunos de los papeles a la casilla número 2. En la casilla número 5 seguramente le dirán que hable con el director, así que también tendrá que pasarse por su despacho. La casilla número 7 sólo abre de dos a cinco de la tarde y el director sólo está aquí hasta las doce, así que lo mejor es que venga mañana bien tempranito y sin prisa."

Máxima no respetada: _____

Diálogo 3

En un parque:

Álvaro: – "Mi amor, ¿cuándo nos vamos a ir juntitos de vacaciones?"

Lucía: – "Cuando las ranas críen pelos"

Máxima no respetada: _____

Diálogo 4

Por la calle:

Pedro: – "Oye, Carlos, a ver si me devuelves ya la moto, que sólo te la dejé para el fin de semana"

Novia de Carlos: – "Ah, Carlos, pero ¿no me habías dicho que te habías comprado esta moto para pasearme por la ciudad?"

Máxima no respetada: _____

Diálogo 5

En una tienda:

Cliente: – "Oiga, ¿me puede decir cuánto cuesta este pantalón?"

Vendedor: – "Ay, si usted viera... Antes, al diseñador de esa prenda no lo conocía nadie y, claro, toda su ropa era muy barata. De muy buena calidad, eso sí, y bonita, vaya, pero barata. Sin embargo, ahora, desde que no sé qué actriz se encaprichó con esta ropa...; ¡usted no se puede ni imaginar lo que ha subido el precio!. Y es que me da hasta vergüenza decirle que cuesta doscientos dólares..."

Máxima no respetada: _____

11.6. Máximas conversacionales (II)

En los diálogos siguientes la respuesta, aunque gramaticalmente impecable, no es comunicativamente correcta, porque involucra una interpretación anómala de la pregunta. Explique en qué consiste la anomalía en cada caso, sirviéndose de los ejemplos de la sección 11.4. del manual.

EJEMPLO: 1. – ¿Adónde va esta calle?

Hombre, que yo sepa nunca se ha movido de aquí.

Máxime no respetada – relevancia. Si interpreta *va* (del verbo *ir*) como *se dirige* (del verbo *dirigirse*), el verbo necesita un actor animado

1. – ¿Me podría dar la hora?

Lo siento. Acabo de dársela a aquel señor.

_____

_____

2. – ¿Me puedes pasar el pan?

– No, porque te lo comerías.

_____

_____

3. – ¿Sabes que hora es?

– Por supuesto que sí.

_____

_____

4. – ¿Tiene usted familia?

– Qué va, más bien me tiene ella.

_____

_____

5. – ¿Cuánto tiempo piensa quedarse en nuestro país?

– Hombre, eso va depender de cómo me traten ustedes.

_____

_____

11.7.   Estrategias comunicativas: marcadores del discurso

El texto que aparece a continuación es un mensaje escrito que una estudiante (Isabel) le ha dejado a su amiga y compañera de apartamento (Lorena). Localice en el mismo todos los marcadores del discurso (véanse los ejemplos de la sección 11.5.1. del manual) utilizados por Isabel.

Mensaje de Isabel:

> Hola Lore,
> Bueno, como no estás, te tengo que escribir esta cartita. A ver, es que no te localizo nunca... En fin, que voy a ir a la fiesta del cumpleaños de María esta noche; nada, que dice ella que si vienes tú también: vamos, que te está invitando. Por cierto, no sé qué comprarle, o sea, que podemos ir las dos esta tarde, ¿vale?
> Bueno, pues nada. Ya hablamos, ¿eh?
> Un besito,
> Isi

Marcadores del discurso:

_____

_____

11.8. Lengua oral y lengua escrita

El siguiente texto es una transcripción literal de un mensaje dejado en un contestador telefónico madrileño. Transforme el mensaje oral en uno escrito, realizando los cambios necesarios para conformar el discurso a las normas de la escritura, es decir, eliminando todos los elementos típicos de la oralidad, como las repeticiones, introduciendo marcadores del discurso y signos de puntuación, etc. para conservar lo escucida del mensaje. Sírvase para ello de los ejemplos dados en la sección 11.5. del manual.

Versión oral del mensaje:

Oye Paco - soy Juan - ¿estás ahí? - si estás, coge el teléfono por favor - bueno - veo que no estás - o estás y no quieres contestar al teléfono como de costumbre [risa] - pues mira - te llamaba para - no pasa nada [risa] - te llamaba para decirte que - bueno, te acuerdas de que habíamos quedado para mañana - digo para comer mañana ¿no? - pues lo que pasa es que mañana no puedo - no voy a poder comer contigo - eh - lo que pasa es que Marta me ha recordado - que teníamos una cita - tenemos que ir al downtown por la mañana y ya no vamos a volver antes de las cinco o las seis - o sea que de comida nada - pero si quieres podemos quedar para pasado mañana - o el viernes - como te guste - ¿vale? - pues nada - eh - llámame más tarde si puedes - yo no - eh - yo voy a estar despierto hasta las once o quizás más tarde - ¿de acuerdo? - bueno - hasta pronto entonces ¿eh? - adios.

Versión escrita del mensaje:

_____

_____

_____

_____

_____

_____

_____

_____

_____

_____

_____

_____

_____

_____

11.9. ¿Verdadero o falso?

Señale con un círculo la respuesta correcta (verdadero: V - falso: F).

Ejemplo: Malabo no es la capital de quinea Ecuatorial　　　　　V　　Ⓕ

1. La pragmática estudia la lengua en relación con las circunstancias comunicativas　　　　　V　　F
2. Las muletillas son marcadores del discurso　　　　　V　　F

3. El uso de eufemismos está motivado por la cortesía verbal   V   F

4. Una oración aseverativa realiza una petición   V   F

5. El discurso protocolario es formal, pero sirve a una comunicación personal   V   F

6. La clave del acto de habla tiene que ver con la actitud de los hablantes   V   F

7. El estilo formal es el menos espontáneo de todos   V   F

8. A través de la atenuación, se evitan confrontaciones embarazosas   V   F

9. Los marcadores del discurso proporcionan información básica   V   F

10. En pragmática, la "cara" se refiere a los gestos y mímica que acompañan al discurso   V   F

11. Una apuesta es un comprometimiento   V   F

12. Las estrategias comunicativas son las mismas en las diferentes comunidades de hablantes de un mismo idioma   V   F

13. En la comunicación transaccional se espera que el oyente haga algo   V   F

14. Los participantes en el acto de habla siempre desempeñan el papel de hablantes y oyentes en la conversación   V   F

15. Una oración declarativa no puede servir para dar una orden   V   F

16. El léxico del discurso cambia para adaptarse al registro   V   F

17. El género del acto de habla depende de si el hablante es un hombre o una mujer   V   F

18. El registro consultivo se usa en discursos solemnes   V   F

19. El significado de un enunciado nunca varía aunque cambie el contexto comunicativo   V   F

20. Según la máxima de calidad, el discurso debe proporcionar información de interés para el oyente   V   F

21. El registro íntimo se caracteriza por su espontaneidad   V   F

22. En una oración directiva no se usa la cortesía verbal   V   F

23. La competencia lingüística del hablante determina los cambios de registro en su discurso   V   F

24. Una comunicación interaccional es un acto de habla factitivo   V   F

25. Si el hablante "pierde la cara" en la conversación, perderá prestigio ante los demás participantes   V   F

11.10. Prueba de autoevaluación

Para realizar esta actividad de revisión y autoevaluación de forma adecuada:

- no debe utilizar ningún tipo de material (apuntes, libro, etc.).
- no puede emplear más de quince minutos en la realización de los ejercicios.
- debe seguir la escala de notas indicada a continuación.

Escala de notas:

    (A) 50–45 puntos   (B) 44–40 puntos   (C) 39–35 puntos   (D) 34–30 puntos   (F) 29–0 puntos

1. ¿Cómo se denomina al acto de habla que expresa una promesa por parte del hablante? (5 puntos)

_____

_____

2. ¿Con qué principio se relacionan las máximas de Grice? (5 puntos)

_____

_____

3. ¿Cuáles son los distintos niveles de formalidad en el discurso? (10 puntos)

_____

_____

4. ¿Cómo se denominan en pragmática al espacio físico donde tiene lugar el acto de habla y a la actitud de los participantes en dicho acto? (10 puntos)

_____

_____

5. ¿Cuáles son las normas conversacionales? (20 puntos)

_____

_____

Capítulo 12:
El español en los Estados Unidos

12.1. Fondo histórico: "Cada oveja con su pareja"

Enlace cada una de las fechas de la columna de la izquierda (con números) con el acontecimiento que le corresponda de la columna de la derecha (con letras).

_____ 1. 1848	a. Independencia de México
_____ 2. 1512	b. Llegada al poder de Fidel Castro
_____ 3. 1898	c. Llegada de los españoles a México
_____ 4. 1952	d. España cede la Florida a EE.UU.
_____ 5. 1819	e. Llegada de los españoles a la Florida
_____ 6. 1822	f. Tratado de Guadalupe-Hidalgo
_____ 7. 1517	g. Puerto Rico pasa a ser Estado Libre Asociado
_____ 8. 1959	h. Guerra de Cuba

12.2. Los hispanos en EE.UU.

Señale en el mapa mudo de Estados Unidos que aparece a continuación los estados y las ciudades donde se localizan los principales núcleos de hispanos:

1. Mexicoamericanos y chicanos: Suroeste ⇒ California (Los Ángeles, San Diego, San Francisco), Texas (San Antonio, El Paso), Colorado (Denver), Arizona (Phoenix), Nuevo México (Alburquerque)

2. Cubanoamericanos: Sureste ⇒ Florida (Condado de Dade – Miami)

3. Puertorriqueños: Nordeste ⇒ Nueva York

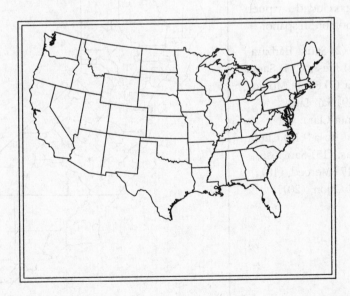

12.3. El español en los nombres de lugares estadounidenses

Ubique en el siguiente mapa los topónimos estadounidenses que aparecen en la figura 12.4. del manual:

Estados	Ciudades	Ríos	Montes
Arizona	San Francisco	Colorado	Sierra Nevada
California	Santa Fe	Rio Grande	Diablo
Colorado	Alamogordo	Sacramento	Sangre de Cristo
Nevada	Los Gatos	Arroyo del Pino	Gallinas
New Mexico	Monterey	San Gabriel	Los Padres
Texas	Socorro	Rio Hondo	Sierra Madre
Florida	Los Angeles	San Jacinto	Santa Cruz
Montana	El Cerrito	Los Pinos	San Gabriel

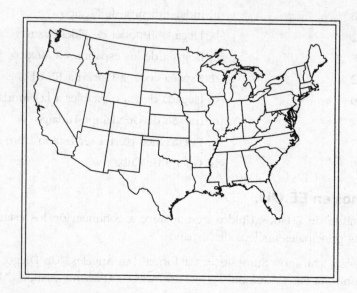

12.4. Topónimos del español en California

Localice en el mapa estas ciudades y pueblos californianos con nombre hispano:

(1) Sacramento, (2) Santa Bárbara, (3) Palo Alto, (4) Fresno, (5) Santa Cruz, (6) Madera (7) Santa Mónica, (8) Escondido, (9) San Luis Obispo, (10) Santa Clara, (11) Chico, (12) Santa Rosa, (13) Chula Vista. (14) Salinas, (15) San José, (16) Modesto, (17) Merced, (18) Manteca, (19) El Cajón, (20) Alturas.

12.5. El español caribeño

Reescriba el texto siguiente (que refleja una pronunciación cubanoamericana popular con ortografía no estándar) en español normativo.

EJEMPLO: Texto cubanoamericano: "Fígurate tú quehtaba (...)"
           Reescritura en español normativo: "Figúrate tú que estaba (...)"

Texto cubanoamericano:

Fígurate tú quehtaba media ida pelando papa, y de pronto beo argo sobrel frigidaire, como no tenía lo jepejueloh puehto pue namá que beía un bulto y me figuré quera el cehto de pan, seguí pelando papa y cuando boyabril la puelta del frigidaire pa' sacal la mantequilla pasel suhto de la vida. Abía unombre tranparente con un guanajo bajoel braso sentado sobrel frigidaire. Me recobré un poco y le dije alaparecio: "Gua du yu guan?" El me rehpondió: "Soy San Given." Entonceh yo le dije: "San Given el de la novela?" Y el me dijo: "Yes, el mihmitico." (Roberto G. Fernández, "Noticiero Miler", *La Vida es un Special* .70. Miami: Ediciones Universal, 77)

Reescritura en español normativo:

_____

_____

_____

_____

_____

_____

_____

_____

_____

_____

_____

_____

12.6. Lenguas en contacto: préstamos

A continuación aparece una lista de palabras prestadas del inglés que se encuentran en el español de Estados Unidos. Busque el correspondiente término en inglés del que provengan y su equivalente en español estándar.

EJEMPLO: Español de los EE.UU.: Bildin
           Inglés: Building
           Español estándar: Edificio

                  Inglés: ***Español estándar:***

1. chopear   _____   _____

2. liquear   _____   _____

3. rufo   _____   _____

4. guachimán _____   _____

5. partaim   _____   _____

6. feca   _____   _____

7. estró   _____   _____

8. trábol   _____   _____

9. cuora   _____   _____

10. escrachao   _____   _____

12.7. Lenguas en contacto: calcos

Las siguientes expresiones son calcos, es decir, traducciones literales del inglés. Encuentre el equivalente inglés en cada caso y realice además la traducción a español estándar.

EJEMPLO: "Viaje redondo"

Inglés: Round trip

Español estándar: Viaje de ida y vuelta

1. Tener un buen tiempo (en una fiesta)

Inglés: _____

Español estándar: _____

2. Tomar algo fácil

Inglés: _____

Español estándar: _____

3. Mantener un perfil bajo

Inglés: _____

Español estándar: _____

4. Maquillarse la mente

Inglés: _____

Español estándar: _____

5. Mantener un secreto

Inglés: _____

Español estándar: _____

6. Ir a la oficina del médico

Inglés: _____

Español estándar: _____

12.8. Diálogo de bilingües

Reescriba en español normativo el diálogo siguiente de dos hispanas (Rosa =R y Cristina =C), nacidas en los Estados Unidos.

EJEMPLO: "Julio y Eva tuvieron un argumento"

Reescritura en español normativo:

"Julio y Eva tuvieron una discusión"

En clase:

R: – Hi, Cristina, how are you? ¡Te ves preciosa!

C: – Es que fui a cortar mi pelo ayer... A Mark le gusta así; otra vez estamos dating, ¿sabías?

R: – ¡Cool! No, no sabía. By the way, ¿sabes si estábamos supuestos de entregar el papel hoy?

C: – Pues... no sé. Espero que no es hoy...

R: – No tuve tiempo para correctarlo ayer. Tuve que ir al supermercado y perdí tanto tiempo buscando espacio para parquear...

C: – Pues yo conozco una tienda que delibera groserías, por si te interesa...

R: – OK. Cuéntame después, que ya comenzó la lectura.

Reescritura en español normativo:

_____

_____

_____

_____

_____

_____

_____

_____

_____

_____

12.9. ¿Verdadero o falso?

Señale con un círculo la respuesta correcta (verdadero: V - falso: F)

Ejemplo: San José es la capital de Costa Rica   (V)   F

	V	F
1. Estados Unidos es el tercer país del mundo en cuanto al número de hispanohablantes	V	F
2. Las mayores concentraciones de hispanos se encuentran en el Noroeste de los Estados Unidos	V	F
3. El caló es el habla de los gitanos en España	V	F
4. Un calco es la traducción de una construcción idiomática	V	F
5. Los miembros de la comunidad cubana en EE.UU. son los más jóvenes de todos los hispanos.	V	F
6. El puertorriqueño es un subdialecto del español caribeño	V	F
7. El español es lengua cooficial en el estado de Nuevo México	V	F
8. En EE.UU. el judeoespañol se ha conservado como lengua litúrgica	V	F
9. El suroeste de los EE.UU. perteneció hasta fines del s. XIX a España	V	F
10. El español del río Sabinas desciende del español rural mexicano	V	F
11. La alternancia de códigos es un fenómeno poco común entre los hispanos en Estados Unidos	V	F
12. Los nuyoricans son los neoyorquinos que viven en Puerto Rico	V	F
13. Un falso cognado es una palabra con la misma forma y significado en dos lenguas distintas	V	F

14. En 1952 Puerto Rico pasó a ser Estado Libre Asociado de EE.UU.   V   F

15. El español chicano es rico en anglicismos   V   F

16. Los exiliados cubanos empezaron a llegar a EE.UU. a principios del siglo XX   V   F

17. En español puertorriqueño la consonante vibrante múltiple suele tener una realización velar   V   F

18. Los Ángeles es la ciudad estadounidense con mayor porcentaje de hispanos   V   F

19. Estados Unidos es una comunidad diglósica   V   F

20. El español es la única lengua oficial en Puerto Rico   V   F

21. El isleño es un dialecto hablado por descendientes de canarios.   V   F

22. La organizacion *US English* está en contra del uso público del español en EE.UU.   V   F

23. Los españoles llegaron a Florida en el siglo XVI   V   F

24. El español caribeño es seseante y lleísta   V   F

25. Los chicanos se concentran en el Sureste de los Estados Unidos   V   F

12.10. Prueba de autoevaluación

Para realizar esta actividad de revisión y autoevaluación de forma adecuada:

- no debe utilizar ningún tipo de material (apuntes, libro, etc.).
- no puede emplear más de quince minutos en la realización de los ejercicios.
- debe seguir la escala de notas indicada a continuación.

Escala de notas:

    (A) 50–45 puntos   (B) 44–40 puntos   (C) 39–35 puntos   (D) 34–30 puntos   (F) 29–0 puntos

1. ¿Con qué otro nombre se conoce a la jerga urbana denominada "pachuco"? (5 puntos)

2. ¿Cómo se llaman los dos dialectos hispanos hablados en Luisiana? (10 puntos)

3. ¿Cuáles son y dónde se localizan las principales comunidades hispanas en EE.UU.? (15 puntos)

4. ¿Cuántos y cuáles son los grupos en los que puede clasificarse el español hablado en los Estados Unidos? (20 puntos)

Answer Key:
Pruebas de autoevaluación

Capítulo 1 • La lengua española en el mundo
1.10.   Prueba de autoevaluación
1. En veinte países y en el Estado Libre Asociado de Puerto Rico
2. En España hay diecisiete comunidades autónomas y dos ciudades autónomas (Ceuta y Melilla)
3. La ciudad se llama Burgos y se encuentra en la comunidad de Castilla y León
4. Unos trescientos millones de personas
5. Europa, América y África
6. "Romance" significa "a la manera de los romanos"
7. Glosas Emilianenses y Silenses

Capítulo 2 • Lenguaje, lengua y lingüística
2.10.   Prueba de autoevaluación
1. El lenguaje humano es: social, oral, creativo, arbitrario y sistemático (cualquiera de estas características es correcta)
2. Directiva
3. Sí, porque son variantes geográficas de una lengua (el latín)
4. Noam Chomsky
5. Todos los idiomas poseen:
    a. Un número limitado de fonos
    b. Dos clases de fonos: vocales y consonantes
    c. Reglas de combinación de los fonos
    d. Arbitrariedad entre referente y signo lingüístico
    e. Rasgos transculturales como "masculino, femenino, humano, etc."
    f. Normas de combinación de las palabras en oraciones aseverativas, interrogativas o negativas
    g. Conjunto finito de reglas sintácticas
    h. Recursos para referirse al tiempo físico
    i. Capacidad de cambiar con el paso del tiempo
    (Cualquier grupo de cinco de los universales anteriores es correcto)

Capítulo 3 • Fonética: Los sonidos del habla
3.10. Prueba de autoevaluación
1. [p], [b], [β] y [m]
2. Bajo ninguna. Las deslizadas no pueden ser nunca núcleo silábico.
3. [f] y [ɱ]
4. 1. Consonante vibrante simple alveolar sonora
    2. Vocal media anterior no redondeada
    3. Consonante oclusiva bilabial sorda
    4. Consonante velar fricativa sorda

5. Consonante palatal fricativa sonora

5. 1. [se-kí-a]

2. [tʃu-r̃é-ro]

3. [xu̯e-ɣe-sí-to]

4. [a-ɣo-βi̯á-ðo]

5. [me-tá-li-ko]

Capítulo 4 • Fonología: Los fonemas del español
4.10. Prueba de autoevaluación

1. /y/ y /λ/

2. Lambdacismo

3. "Mar" y "mal", por ejemplo. Sirve cualquier par de palabras (con significado distinto) que se diferencie sólo por un sonido.

4. /s/ y /θ/

5. 1. Fricativo velar sonoro

2. Fricativo bilabial sonoro

3. Fricativo interdental sordo

4. Fricativo dental sonoro

5. Fricativo alveolar sonoro

6. 1. /eskéla/

2. /abaníko/

3. /gitáɾa/

4. /r̃asgádo/

5. /bi̯énto/

Capítulo 5 • Morfología: forma y función de las palabras
5.10. Prueba de autoevaluación

1. Neologismo: chat-e-a-r

2. Flexión, derivación y composición

3. "Echar de menos" (cualquier expresión idiomática es correcta)

4. "Anti-": "Antifascista" y "antiestético" (cualquier palabra que comience con "anti-" y tenga el significado de "contrario /a" es válida)

5. 1. bail {radical}, o {primera persona}, {número singular}

2. america {radical}, n {gentilicio}, o {género masculino}

3. compr {radical}, a {vocal temática}, ndo {geundio}

4. cerd {radical}, it {diminutivo}, o {género masculino}

Capítulo 6 • Sintaxis I: La estructura de las oraciones
6.10. Prueba de autoevaluación

1. Verbo preposicionado

2. a. "El atleta de California"

b. "Esa chica que vive contigo"

c. "Mis mejores amigos"

d. "Tú"

3. a. "Favorito"

b. "Francesas", "aburrida"

c. "Rojo"

d. "Preocupada"

4. a. Verónica conoce a* mi novio

*La a personal se introduce por una transformación.

b. Isabel fue ayer a la fiesta

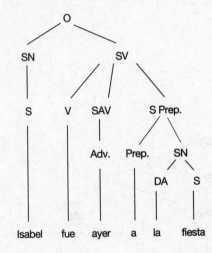

c. Mi hermana fue enfermera

Capítulo 7 • Sintaxis II: Algunas clases de oraciones
7.10. Prueba de autoevaluación

1. Juana está comiéndose todas las fresas porque le gustan mucho.

2. a. Explicativa: "Los chicos, que/quienes llegaron tarde a clase, viven lejos"

   b. Restrictiva: "Los chicos que llegaron tarde a clase viven lejos"

3. a. Pasiva

   b. Sujeto nulo

   c. Reflexiva

   d. "Se" indeterminado

   e. Sujeto nulo

4. a. Sólo quiero que se cepille los dientes

b. María trabaja en Berkeley pero vive en Oakland

c. El coche que compramos es negro

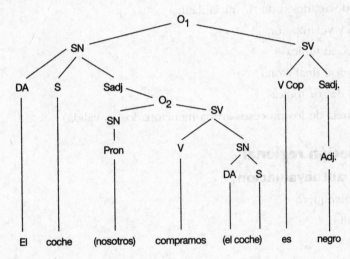

d. Si quieres, te preparo un café con leche ahora

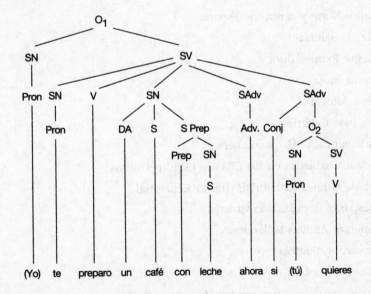

Capítulo 8 • Variación temporal

8.10. Prueba de autoevaluación

1. Los visigodos

2. Jarcha

3. En latín

4. 1. Inscripciones en monumentos

    2. Pronunciación de palabras en otros idiomas

    3. Habla de los personajes rústicos en las comedias populares romanas

    4. Lenguaje de obras técnicas, de cartas personales u obras populares.

    5. Comentarios de gramáticos latinos sobre el lenguaje popular, como el "Appendix Probi".

    (Cualquier grupo de tres de las fuentes arriba mencionadas es válida)

5. 1. Reducción de consonantes largas

    2. Sonorización de consonantes sordas intervocálicas

    3. Aspiración y desaparición de /f/ inicial latina

    4. Palatalización y velarización

    5. Apertura de vocal tónica

    6. Apertura de vocal final átona

    7. Diptongación de /o/ tónica

    (Cualquier pareja de los procesos arriba mencionados es válida)

Capítulo 9 • Variación regional

9.10. Prueba de autoevaluación

1. Papiamento y palenquero

2. Guinea Ecuatorial

3. Judeoespañol

4. España: Andalucía

    Hispanoamérica: Caribe

5. 1. Castellano: Norte y centro de España

    2. Andaluz: Andalucía

    3. Extremeño: Extremadura

    4. Riojano: La Rioja

    5. Murciano: Murcia

    6. Canario: Islas Canarias

    7. Hispanoamericano: Hispanoamérica

    8. Modalidades habladas en los EE.UU.: Estados Unidos

    9. Variante de Guinea Ecuatorial: Guinea Ecuatorial

    10. Judeoespañol: localización variada

    11. Papiamento: Antillas Holandesas

    12. Palenquero: Colombia

    13. Chabacano: Filipinas

    (Cualquier grupo de cinco modalidades es correcto)

Capítulo 10 • Variación social

10.10. Prueba de autoevaluación

1. Jerga

2. Tutearse

3. La hipercorrección

4. Eufemismos

5. Lunfardo y cocoliche

Capítulo 11 • Variación contextual

11.10. Prueba de autoevaluación

1. Comprometimiento

2. Principio de cooperación

3. Protocolario, formal, consultivo, familiar e íntimo

4. Ambiente y clave

5. Calidad, cantidad, relevancia y modo de la información

Capítulo 12 • El español en los Estados Unidos

12.10. Prueba de autoevaluación

1. Caló

2. Isleño y brulí

3. Mexicanoamericanos y chicanos en el Suroeste, cubanoamericanos en Florida y puertorriqueños en Nueva York y alrededores

4. El español hablado en EE.UU. puede clasificarse en cuatro grupos:

   Español chicano

   Caribeño (rama cubana, puertorriqueña y dominicana)

   Español hablado por inmigrantes de otras regiones de Hispanoamérica.